Lo entendimos todo mal

lo entendimos todo mal

Susana y Elvira

**HOMBRES, SEXO, MATRIMONIO,
ROLES, LIBERACIÓN, AMOR**

 Planeta

© María Fernanda Moreno, 2014
© Marcela Peláez, 2014
© Editorial Planeta Colombiana S. A., 2014
Calle 73 Nº 7-60, Bogotá, D. C.

Primera impresión: octubre de 2014
Segunda impresión: diciembre de 2014

ISBN 13: 978-958-42-4197-9
ISBN 10: 958-42-4197-4

Diseño y diagramación:
Departamento de diseño Grupo Planeta
Óscar Abril Ortiz, Alejandro Amaya,
Myriam Enciso Fonseca

Corrección de estilo:
Ludwing Cepeda A.

Ilustraciones:
Omar Andrés Penagos

Lettering:
Nicolás Rojas León

Fotografía de cubierta y autoras:
Miguel Mejía

Impresión:
Nomos Impresores

Para Sara y Rosa de los Vientos,
quienes, aunque enfrentarán un mundo más tolerante,
tendrán que continuar defendiendo las ideas
que trascienden su género y su sexualidad

SUSANA (MARÍA FERNANDA MORENO)

Periodista y politóloga con dos maestrías y doce años de experiencia en medios digitales. Ha trabajado en medios de comunicación y ha sido profesora universitaria e investigadora en temas de Desarrollo y Política Económica —se siente muy orgullosa de haber presentado uno de sus *papers* en dos importantes conferencias académicas en Canadá—. Co-libretista de Susana y Elvira, La Serie. Es la co-fundadora de Siete y Ocho, una compañía de contenidos digitales que maneja SusanayElvira.com. Tiene dos *ones*, le dan repeluz los bebés con gafas de sol, ha votado en todas las elecciones desde que tiene dieciocho años, cree que la actuación es más difícil que la física nuclear y suele levantarse a las cuatro de la mañana porque, como dicen los *listarticles* que le privan, es un *early bird*.

ELVIRA (MARCELA PELÁEZ)

Estudió literatura y en contra de todos los pronósticos ha logrado vivir de esa profesión durante diez años. Después de una década cumplió con lo que se supone que debe lograr un literato (título del que suelen burlarse): escribir y publicar un libro. Dos, en realidad. Siempre ha estado involucrada en el mundo *online*, ha trabajado para varios medios de comunicación y ha escrito varias series web. Es la co-fundadora de Siete y Ocho, la empresa que maneja SusanayElvira.com. Tiene encima tres premios para nada despreciables de periodismo (en su faceta de Marcela) y cuatro por el blog y la serie Susana y Elvira (en su faceta Elvira Marcela). Sufre de pánico escénico porque dice tener el cerebro conectado a los dedos de las manos y no a la boca.

CONTENIDO

INTRODUCCIÓN

Cuando nos preguntan por qué decidimos abrir un blog, nuestra respuesta es casi siempre la misma: trabajábamos juntas y compartíamos la misma sensación de que la vida se nos estaba escapando entre tablas de Excel, una pésima conexión a Internet y un trabajo tan aburrido y tan poco retador que nuestras pobres neuronas querían suicidarse.

Así que uno de esos días en los que moríamos del tedio mientras llenábamos un test de "¿sabes complacer a tu pareja?", nos dimos cuenta de que no nos sentíamos representadas por las publicaciones supuestamente para mujeres. "Deberíamos hacer un blog que quisiéramos leer y hablarle a las mujeres que no tienen ni quieren vivir entre zapatos de tres millones de pesos y tips sobre cómo ser un mejor polvo".

En este caso, contrario a lo que sucede con la mayoría de nuestros planes prosopopéyicos, nos sentamos y en efecto empezamos un blog. Corría 2008, nuestra vida era diferente, estábamos en la segunda mitad de nuestros veinte, le teníamos aversión a ciertas cosas a las que hoy no y así comenzamos a hablar de lo que conocíamos: nuestra vida y la de nuestras amigas. Empezamos escribiendo sin mayores expectativas, pues nada extraordinario hay en las historias de dos viejas a las que no les pasa nada. Pero al poco tiempo vimos que el tedio era compartido por muchas otras mujeres. Y por algunos hombres, para sorpresa nuestra.

Ya han pasado algunos años desde ese momento. Hoy seguimos detrás de un computador tratando de descifrarnos a nosotras mismas, a lo que se supone que puede llegar a significar ser mujer hoy en día; el lugar y valor que le damos a los hombres; lo que pensamos y sabemos sobre la soltería y el compromiso a los treinta, pues a estas alturas ya hemos estado en los dos lados de la historia.

Tantas cosas hemos escrito en estos años que cuando nos llegó la propuesta de escribir este libro quedamos frías, porque aunque llevábamos años escribiendo un blog, una cosa es una cosa y otra cosa es otra cosa. ¿De qué diantres vamos a hablar? ¿Cómo vamos a llenar tantas páginas de un libro? ¿Un libro?

Después del pequeño ataque de pánico que nos entró, supimos que si no se nos había agotado el tema en seis años, ¿qué tan difícil iba a ser escribir cientos de páginas —en lo posible— coherentes? Si Marcel Proust escribió siete volúmenes él solito y a mano, ¿entre dos no lo vamos a lograr? Vimos entonces una oportunidad.

Alguna vez nos preguntaron en una entrevista si éramos feministas, a lo que respondimos que queríamos un rol más igualitario para las mujeres, pero que el término estaba tan deteriorado que debíamos buscarle un nuevo nombre al "feminismo". Una respuesta simplista producto de un súbito terror a ser tachadas de algo. A ser etiquetadas. Por eso, después de echarle cabeza a la respuesta, decidimos que estábamos equivocadas y que debíamos ser un poco *hipsters* en esto de no reinventar lo inventado. Que era mejor recuperar el valor de la palabra "feminismo" e ir en contra de quienes la han ridiculizado para quitarle poder.

Porque si una mujer se declara "feminista", es fácil hacerla caer en hoyos negros llenos de clichés como "ah, como esta loca es feminista, seguro tiene unas piernas tan peludas que seguro espanta al mismísimo Chewbacca", "seguro odia a los hombres", "feminista=lesbiana". Como si, además, ser lesbiana fuera malo y uno tuviera que andar lampiño por el mundo.

¿Qué hay entonces detrás de esa lucha de las mujeres por encontrar la igualdad con los hombres? Estamos insatisfechas con el estado actual de las cosas, y es esta insatisfacción la que nos lleva a criticar nuestra realidad. Solo así podremos presionar —o soñar— un cambio, o al menos hacer un aporte a éste. Así que esperamos que este libro moleste a unos cuantos, e inspire a otros para cambiar lo que no nos sirve, lo que no nos deja avanzar.

Este no es un ensayo académico, ni mucho menos un tratado sobre la sexualidad o el feminismo. Tampoco amenaza con convertirse en una referencia para los teóricos e intelectuales. Simplemente es un acercamiento "muldisciplinario" con una fuerte carga de observación directa y cultura popular al machismo y los mitos que nos han definido como mujeres. Como diría Judith Butler, somos unas promiscuas intelectuales.

Creemos que al identificar al enemigo estaremos más cerca de derrotarlo. En este mundo que todavía manejamos como una selva, o un feudo, es tan difícil ser hombre como ser mujer. Pero como las que escribimos somos nosotras y no Ernest Hemingway, vamos a concentrarnos en nuestra batalla, en lo que está a nuestro alcance para hacer este mundo menos hostil con las mujeres y, digamos, más arco iris, donde todos podamos convivir en igualdad de condiciones y donde el género y la inclinación sexual con los que nacimos no determinen nuestra posición ni nuestras opciones en el mundo.

Tal vez este libro sirva para que las mujeres cuestionen el estado de las cosas, lo que nos fue dado; y para que ambos géneros traten de mirar hacia adelante, con justicia y pragmatismo, a pesar de toda la carga recibida a lo largo del tiempo.

Las cosas se llaman por su nombre: feminismo, vagina, patriarcado. Así que sí, somos feministas y este libro es un acercamiento para tratar de re-entender el feminismo y actualizarlo bajo la luz que conocemos.

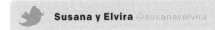
Susana y Elvira @susanayelvira

Esto es como un parto sin epidural.

NIVELES DE INDIGNACIÓN

1. *Popito*

de toro bebé

2. *Popó*

de toro

3. *Popó*

de toro castrado

4. *Cacca*

di toro castrato

5. *Popó*

de toro con moscos

© Nadím Amin

VIDEO PRÓLOGO
Por Antonio Sanint

Este video puede darle más razones para leer este libro
y compartirlo con sus amigos.

« ESCANEE ESTE CÓDIGO CON
SU DISPOSITIVO MÓVIL PARA
VER EL VIDEO.

PARTE 1

misma cancha que un hombre. Las mujeres no saben echar los perros sutilmente.

- Una mujer insistente intimida.
- El hombre nace bueno y la mujer lo corrompe.
- Para que una relación funcione, las mujeres deben saber que en cualquier momento las podemos dejar. Y ellas también deberían dejárnoslo claro.
- Las mujeres se han encargado de matar la caballerosidad.
- Las mujeres prefieren dárselo a Daddy Yankee o a Wisin y Yandel que a Petrarca.
- Nos gusta ser John Wayne. Nos gusta ser los salvadores.
- Las mujeres son muy emocionales.
- Para un hombre negar un polvo es muy grave. Porque ustedes no entienden que no todos los días estamos preparados para tirar.
- A nosotros se nos cierran más puertas que a ustedes. Y tenemos que luchar mucho más que ustedes para abrirlas.
- Es mejor y más útil ser bonita que fea.
- Una mujer que no se deja invitar, no se quiere comprometer. No hay tal cosa como un almuerzo gratis.
- Plata es control.
- Nosotros hacemos lo que sea por estar con ustedes.

LAS TRES EFES: *FEED ME, FUCK ME, SHUT THE FUCK UP*

Susana y Elvira @susanayelvira

Prometo alimentarte, comerte y callarme. Pero tú cómeme, entiéndeme y respétame. ¿Estamos?

Se supone que los hombres son básicos y pragmáticos. Nosotras en cambio, un enredo. Según ellos, nosotras nunca sabemos qué es lo que queremos, simplemente porque lo queremos todo. En cambio ellos, tan prácticos, básicos y pragmáticos, sólo quieren tres cosas: comida, sexo y silencio. Tal como lo dijo Chris Rock: "*Feed me, fuck me, shut the fuck up*" (Aliméntame, cómeme y cállate). Pero no contento con esa exposición brillante y sucinta sobre lo que quieren los hombres, Rock fue más allá, sólo para concluir que las relaciones entre hombres y mujeres están condenadas al fracaso. Porque es imposible tener una relación con una mujer que no vaya a aplacarlo, confundirlo, y en últimas, joderle la existencia.

Para que una relación funcione ambos deben estar concentrados en lo mismo. ¿Y concentrados en qué cosa? Concentrados en ella. Todo es "ella". Ella está ahí, amigos, está esperando a que llegues.

Amigos, cuando se despierten en la mañana deben mirarse al espejo y decirse: "Jó-de-te. Al diablo con tus esperanzas, al diablo con tus sueños, al diablo con tus planes. Al diablo con todo lo que has pensado que la vida te iba a dar. Ahora regresa y trata de hacer feliz a esa perra".

Todo es sobre ella. Decir sí a todo. Todo. Todo a lo que puedas, di que sí. Sólo di que sí, antes de que abra la maldita boca. (...) Otra cosa, amigos: No discutan. Nunca van a ganar. No se le puede ganar a una mujer en una discusión, es imposible. No ganarán, porque los hombres somos inútiles cuando de discutir se trata. Porque tenemos la necesidad de hacer sentido, de hacerlas entrar en razón. Una mujer no va dejar que la razón arruine su discusión. Ellas no están para razonar, ellas sólo piensan en molestar. "¿Cuánto falta para que este desgraciado estalle?".

(...) Y como dije, hagan su mejor esfuerzo para hacerlas felices. ¿Pero saben una cosa? Nadie puede. No se puede hacer feliz a una mujer. Es imposible. Yo nunca he conocido a una mujer feliz en mi vida. Las mujeres siempre están quejándose por algo. Les encanta quejarse. No importa lo que hagas, siempre estarán enojadas.

Puedes tirarte a una mujer con un pene de diamante y hacerla venir diez veces. Igual se va a quejar: "¿por qué me hiciste venir tan duro? Este pene de diamante está opaco. ¡Por qué no fuiste a

LAS PREMISAS QUE NOS JODIERON LA VIDA

1. EL AMOR ES DOLOROSO

Oh pobre Gaviota, tan ruda y dura, se enamora del estudiante de universidad extranjera y apenas le da su flor, el infame se va y la deja embarazada, ultrajada e infeliz. La pobre sufre como una versión de Penélope en manos de la Yakuza. Pobre.

Oh pobre María la del Barrio enamorada de Luis Fernando De La Vega, que también está loquito por ella. Pero la malvada Soraya se enfrenta en su camino y con una prueba de embarazo falsa lo hace casarse con ella. El amor no es para María.

Y oh pobre Bridget, tiene al mejor partido de Reino Unido, pero la monotonía y sus inseguridades lo alejan a él y la condenan a pasar una vida gorda y sola. El amor, al parecer, tampoco es para Bridget.

Y si seguimos esta premisa, el amor tampoco es para nosotras. O si es, tiene que doler. Si Yoda lo dijera, "doler el amor para ustedes debe". Porque desde muy temprano aprendimos que para que nuestra vida romántica sea *interesante* o *digna,* tiene que parecer un guión de telenovela mexicana: con arcos dramáticos, antagonistas, lágrimas, sufrimiento y muchos gritos. Si hay amnesia y bastardos, mejor.

Si no nos creen, pregúntenle a algunas mujeres-cliché su estado civil. Una que otra responderá, "yo estoy tranquila, *soltera*". Porque equiparamos soltería con tranquilidad y relaciones con drama, lágrimas, truhanes y todo eso que nos enseñaron las telenovelas. Y al parecer aprendimos bien.

Entonces vamos por la vida buscando el drama, porque supuestamente el drama es bueno. Si él no nos cela, no nos quiere. Y si nosotras no les montamos un numerito como el de "Maldita Lisiada" cuando el tipo va a salir a una comida, tampoco lo queremos. No ser unas *leonas en celo dispuestas a luchar con tal de defender lo que queremos, morir o matar*[1], nos hace pusilánimes. Si él no nos pide perdón con serenata, flores, o un acto heroico, no nos aprecia lo suficiente. Y siempre, siempre, debe haber un/una antagonista que se oponga a nuestro amor, y por ello empoderamos a la ex novia —muchas veces sin que ella lo sepa— o queremos creer que nuestra suegra nos odia, o, peor, empoderamos a nuestro ex novio para que sea nuestro galán el que trine de celos. Porque, de nuevo, si nos cela, nos quiere.

El amor tiene que doler, de lo contrario no dedicaríamos tantas bellas melodías de amor desgarrado. Yo, Susana, chulié un punto en mi lista de cosas por hacer cuando pude cantar, de "a de veras", *Hacer el amor con otro*, y pude decirle metafóricamente a mi remedo de *one* de aquel entonces, "quise olvidarte con él, quise vengar todas tus infidelidades. Pero salió tan mal, que hasta me cuesta respirar su mismo aire". Susana 1 - Amor fácil y descomplicado 0.

La victoria fue aún mayor cuando le pude cantar a otro "*...no, I don't want to fall in love with you (...) what a wicked thing to do, to let me dream of you/ what a wicked thing to say, you never felt this way...*"[2], aunque un mes antes el desgraciado infeliz me había sugerido de mil formas que él me haría compartir destino romántico con Emma Bovary, pero yo como Chris y un tren bala: sin reversa. Porque es que además creemos que es posible rehabilitar gamines (ver premisa número 3).

En cambio yo, Elvira, tuve que aprender a trancazos que el amor no tiene por qué doler, a pesar de tener mil referencias románticas sacadas de las más viles rancheras, de juramentos de amor, cuando finalmente le paré bolas a lo que llevaba diciendo Meatloaf desde 1994, "*I would do anything for love, but I won't do that*"[3]. Meatloaf, un ser sen-

---

1   Gracias, Paulina Rubio.

2   ¡Grande Chris Isaak!

3   Ese *that* está lleno de interpretaciones: que en cada estrofa Meatloaf dice una cosa que no va a hacer por amor y otras teorías. Cada quien es libre de interpretación de ese *that*.

sato, me enseñó que uno puede hacer muchas pendejadas por amor, pero siempre hay una excepción, un límite. Y ese límite está en ese *that*: si me duele, no le jalo. ¿Para qué?

LA FICCIÓN ES MÁS COOL QUE LA REALIDAD

Una mezcla entre romanticismo, realidad, morbo y empatía es la que hace que nos abalancemos hacia los finales infelices, los saltos del Tequendama, y hacia las Virginia Woolfs y las George Eliots del mundo. Porque hay cierta profundidad y atractivo en el dolor, mientras que la felicidad suele parecer plana y superficial. En una batalla de carisma entre Cruela de Vil y Ariel La Sirenita, creemos que la primera gana.

La noticia es cuando un perro muerde a un hombre, no cuando en un acto de cotidianidad un perro muerde al vecino. Así que sentimos más placer con historias de dolor desgarrado que de personas felices que se casan y tienen diez hijitos sanos y nadie le pone los cachos a nadie. ¿O *The Notebook* hubiera sido tal *hit* si los guionistas hubieran saltado directo a la parte en la que ella se decide por Noah, se casan y son felices? Las historias truculentas, las de desamor y las de mucho dolor son bien populares.

Pero aquí va una de las tantas contradicciones: la popularidad de la novela romántica radica, así mismo, en que los finales felices son la regla. Es una de las características del género. Gaviota se quedó con su Sebastián Vallejo y tuvieron muchos hijitos. María la del Barrio se convirtió en la refinada señora De La Vega y Bridget, por lo menos hasta la película número dos de la franquicia, había consolidado el amor de Mark Darcy.

La ventaja de la ficción sobre la realidad es que la ficción es escrita por alguien responsable y letrado, que además respetará el ritmo del género y que obedecerá a su productor/editor y le dará un final coherente con los costos y expectativas del mercado. En cambio en la vida real es la hora en que no nos hemos podido poner de acuerdo en quién toma las decisiones editoriales a la hora de fijar el final de las historias de amor y desamor. ¿Dios, Marx, un Oompa Loompa manipulador y loco? No es competencia nuestra darle una solución al debate que tantas cruzadas y sufrimiento ha causado; sin embargo, en nuestro limitado conocimiento este personaje es más un titiritero loco que un escritor coherente. Por eso en la realidad nunca sabemos qué esperar, ni cuándo es el final. Bien equivocada está la frase de imán de nevera que dice "todo estará bien al final, si no está bien, no es el final". ¿El final es el "vivieron felices para siempre" de los cuentos de hadas? ¿El final es cuando la pareja manda los hijos a la universidad? ¿Cuándo uno de los dos se muere en un accidente de tránsito? ¿Cuándo la esposa, cansada de la aburrida vida sexual provista por el esposo se mete con un leñador de 1.80 y brazo peludo grueso tipo Hugh Jackman? La realidad es menos confiable que la ficción, y su arco dramático es menos una Campana de Gauss y más la gráfica de fluctuación diaria del dólar en 2008. O una canción de Darío Gómez.

Hollywood, TV Azteca y las rancheras nos enseñaron que el amor tiene que doler para que sea amor, y por eso nos encargamos de llenar de drama nuestra vida romántica. Pero a ello nosotras le decimos ¡popó de toro!

Popó de toro

 Susana y Elvira @susanayelvira

La vida debería venir con música de fondo y escenas en cámara lenta.

EL AMOR, SUS MITOS Y LAS ENSEÑANZAS DE LA SABIDURÍA POPULAR
» NO ME DOY POR VENCIDO / I WON'T GIVE UP

El amor ha sido tan mundanizado que muchos lo comparan con una carrera de relevos, los Juegos Olímpicos, el GRE, ser admitido a Harvard o trabajar en *The New York Times*. En fin, cualquier cosa que implique competencia y trabajo duro. Los seguidores de esta corriente de pensamiento —que por lo que hemos visto son muchos— creen que con esfuerzo lo conseguirán, que hay que tratar, pedalear, sufrir

Popó

de toro castrado

y trabajar con disciplina y ahínco para lograr que el ser anhelado le pare bolas. Otra vez —y subimos un poco el nivel de indagación— ¡popó de toro castrado! El amor no es un trabajo en la bolsa o la panza de Halle Berry. Para una relación romántica se necesitan dos personas igualmente involucradas y dispuestas a comenzar algo. Así que toda esa parafernalia musical, llena de letras tipo "I won't give up" (en la versión Jason Mraz) o "No me doy por vencido" (en la versión Luis Fonsi), sirve solo para llenar de argumentos a las locas y locos del mundo. O vean no más a Amélie, que buscó, persiguió, y hasta se rumbió a su supuesta media naranja sin que él supiera quién era ella. El pobre estaba muy asustado. Pero el amor dizque triunfó y lo último que vemos en la película es cuando ella lo apercolla en la moto, al parecer felices. Pero nunca vimos si Amélie lo montó a la moto amenazado, o quién sabe si tuvieron un divorcio que dejó a sus dos hijos traumatizados luego de que ella subiera apenas un escalón en su nivel de locura y comenzara a perseguirlo al trabajo o a chuzarle el teléfono.

 Susana y Elvira @susanayelvira

Declárate enamorado de mí y te comenzaré a "buliar" (de *bully*; sinónimo de matoneo).

» AMOR DE LEJOS, FELICES LOS CUATRO

Esto se lo inventó un neandertal casquiflojo que vivía lejos de su chica oficial.

Querer es poder, reza el dicho, y cuando uno quiere ser fiel puede serlo, no importa si el hermano gemelo de Michael Fassbender se me empelota y me ruega hacerlo mío.

Habiendo dicho esto, nosotras, bien curtidas en el tema, pocas veces recomendamos tal necedad. Las relaciones a distancia son como saltar y echarse gotas en los ojos a la vez: porque el que mucho abarca poco aprieta. Es como la historia de Pepito y Camila:

> Pepito se fue a hacer un MBA de dos años a Boston y Camila, su novia por año y medio, se quedó en Bogotá chupando humo de bus. Ambos tenían veinticinco años. Pepito regresó entonces a un mundo estudiantil y, peor, de estudiante internacional en el que la soledad y la fiesta conviven como novios buenos y funcionales.

Como si tuviéramos una bola de cristal, les decimos a los tórtolos: Pepito, no pierdas el tiempo sufriendo porque no puedes conectarte a Skype o, Camila, no sufras porque seguro Annalena tiene sus piernas de 120 centímetros alrededor de la cintura de tu macho, déjalo ir como Coyote a Correcaminos. Porque, finalmente:

> Al principio Pepito, víctima de la soledad, se aferró a Skype y a Camila. Pero luego empezaron las clases y la biblioteca se convirtió en su segundo hogar. Y en las bibliotecas no se habla. Un par de semanas después Pepito conoció a otra persona, un estudiante local, que le mostró el folclor, el alcohol y las chicas del lugar. Ya no tenía tiempo para Camila. El pobre estaba llevado. Y mientras tanto Camila siguió en su misma vida, con sus mismos amigos y su mismo trabajo, esperando a que Pepito se conectara y le contara sobre su *roommate* sueca de mente abierta. Hoy se sabe que esa historia no floreció y que Pepito perrió como estudiante internacional de veinticinco años y que Camila hoy está casada con Joaquín. Y esa es otra historia que les iremos contando.

Las relaciones a distancia a cierta edad no son posibles. Pero si ya se metieron en esa vaca loca y juraron fidelidad ¡cumplan! El triángulo Annalena, Pepito y Camila se puede evitar. No es como el gato que se come la carne porque la dejaron en la ventana del que hablamos en el mito número 7 de esta primera parte, "el sexo es pecaminoso".

» LOS POLOS OPUESTOS SE ATRAEN

Esto tal vez creía Juan Luis Guerra cuando escribió "Me enamoro de ella". Aunque esta canción claramente no fue basada en su vida, pues es bien poco probable que un tipo que *comiera en comedores sociales y viviera en una pensión sin ducha* hubiera estudiado en Berkeley.

El caso es que, aunque en física es cierto que los polos opuestos se atraen, entre humanos la cosa es diferente. Si esto fuera así, esas citas desastrosas que uno termina aceptando para hacerle el favor a la compañera de oficina, no serían desastrosas en absoluto. No creemos en la homogeneidad, y que uno solo debe salir con pares, porque puede terminar en una endogamia aburridorsísima. Pero esa recreación telenovelesca sobre los polos opuestos enamorados y dispuestos a sobrellevar las diferencias es eso, la recreación de una ficción pensada con el deseo.

Una cosa es que al tipo le encante el fútbol y que su novia lo deteste. Toda relación interpersonal es una negociación, y estas son el tipo de cosas que uno puede negociar. Déjelo ser feliz con su fútbol, su Fórmula Uno o su adicción a Game of Thrones. Nadie dice que usted debe hacer estas cosas al lado de él si le parecen un bodrio. Pero, si una pareja no coincide en los aspectos básicos de la vida está destinada al fracaso. Tienen que tener temas de conversación, tener planes que les guste hacer a los dos, comidas que les gusten a ambos. Tener una vida al lado de alguien con quien toque pedir doble domicilio porque nunca concuerdan en lo que quieren comer tiene que ser muy triste. Y caro. Y desgastante.

» ENTRE NOSOTROS NO HAY SECRETOS

El hecho de estar comprometido con alguien no quiere decir que los dos deban ser el confesionario católico del otro. Claro, uno querrá saber que el tipo con el que anda no es un pederasta, o si tiene tres familias, o que en efecto trabaja donde dice que trabaja y se llama como dice llamarse. Hay que ser sincero con el otro, tratar de ser lo más transparente posible, pero también saber que hay cosas que el otro no tiene por qué saber. Hay cosas que son de uno, y sólo de uno.

Los secretos son necesarios, no sólo en una relación de pareja sino en cualquier tipo de relación. ¿Acaso vale la pena que su *one* sepa que cuando usted tenía 16 años tenía fantasías de tríos con enanos? ¿O hay necesidad de que el otro sepa que usted le decía "mi cucurrumín" a su ex? ¿Vale la pena contarle que su papá estuvo en la cárcel cuando tenía diecinueve años por fumarse un porro al frente de un policía? ¿Para qué? Si ni le quita ni le pone, mejor guárdeselo. Si uno se dedicara a leer con lupa las etiquetas de los alimentos y hacer investigaciones sobre su procedencia y tratamientos, lo más probable es que uno terminaría alimentándose de... ¡Nada!

» EL AMOR LO PUEDE TODO

El amor puede con muchas cosas, pero no con todo. Lo que puede con todo es saber que no puede con todo y tener la sabiduría de decir "que gracias, pero a esto no le jalo y mejor me abro". Uno puede querer mucho a una persona y estar enceguecido con la idea de hacer funcionar lo imposible. Pero —*newsflash*— hay cosas que no tienen, ni deben necesariamente tener solución, simplemente porque no valen la pena a largo plazo y es mayor el desgaste que la posibilidad de mejora.

EL AMOR PUEDE CON MUCHAS COSAS, PERO NO CON TODO.

Decir que "el amor lo puede todo" es una forma de librarse de muchas responsabilidades y tomas de decisiones, como cuando se justifica algo horrible porque "es la voluntad de Dios". Y ya. Punto. Si una mujer es golpeada por su marido, no le cabe un cacho más en esa cornamenta que le ha montado y es infinitamente infeliz, pero su marido "la ama" más que a nada en el mundo, ¿esta mujer está obligada a seguir en ese infierno porque "el amor lo puede todo"? ¡Popó de toro castrado! El amor lo podrá todo, pero solo en el mundo angelical y celestial ochentero de Jonathan Smith[4].

Popó de toro castrado

» TU Y YO SOMOS UNO MISMO

Las parejitas que parecen chicles podrán creerse esta grandísima mentira, pero en algún momento tendrán que aterrizar y caer en

---

4 El ángel que protagonizaba *Autopista al cielo* (Highway to Heaven) en los ochenta.

cuenta de que esto no aplica ni debe aplicar por ningún motivo en la vida real. No hay nada que enfurezca más que, por ejemplo, en un paseo lleguen estas parejitas que se creen el cuento de Timbiriche y deciden que la cuota de la vaca por persona corresponde a uno en vez de dos, como si fueran a dividir en dos las raciones de comida u ocuparan un solo puesto en el carro.

Los de Timbiriche estaban categóricamente errados cuando les dio por decir en los ochenta "tú y yo somos uno mismo, uoooo". No. Tú eres tú y yo soy yo. Si quisiéramos tener una relación con nosotros mismos, el estado ideal de cualquier ser humano sería un espejo gigante, un Rodolfo con pilas infinitas y un tubo de ensayo. O, si la naturaleza fuera sabia en realidad, el universo nos hubiera hecho hermafroditas con la capacidad de autoreproducirnos. Y si esto fuera así, ¿para qué la humanidad se ha pasado la historia entera buscando el amor?

Qué pereza estar con un espejo, las conversaciones terminarían siendo un monólogo en vez de un diálogo, una revolcada sería una masturbación y una arrunchadita feliz sería con la almohada. Para que exista una relación se necesitan dos individuos. Diferentes aunque complementarios. Cada uno con su espacio. Así de simple.

» LO MÍO ES TUYO Y LO TUYO ES MÍO

Este punto viene atado al anterior. Si yo soy yo y tú eres tú, pues lo tuyo es tuyo, lo mío es mío y lo nuestro es nuestro. Pero por ningún motivo lo mío es tuyo ni lo tuyo es mío.

Respetar las cosas del otro es como respetar los espacios del otro. Nadie quiere un chicle pegado 24/7 que no lo deje respirar, ni ganarse una Anna Nicole Smith que se case con uno en su lecho de muerte para quedarse con lo que no es ni debe ser suyo. Para eso, cuando dos se juntan se supone que empiezan a trabajar en un proyecto común, que es como una empresa en que cada una de las partes es un socio igualitario. Pero si cualquiera de los socios tiene otra empresa, al nuevo socio no le corresponden acciones de la otra empresa por el simple hecho de tener una empresa en común. Así que, respetémonos nuestros ranchos.

» EL *ONE* ES UNO, ÚNICO E IRREPETIBLE

Tal vez nosotras seamos en parte culpables de la confusión, así que aquí vamos a tratar de enmendar un poco el error cometido.

El *one* es el indicado, no es uno, ni es único. Como ya hemos comprobado con los amigos, con los trabajos, hasta con las modas, cada momento trae su prioridad y necesidad: a los dieciséis me sirve un desocupado malo que me muestre el mundo y sus porquerías; a los veinticinco un prospecto de "yupi" que me apoye en mi ascenso profesional; a los treinta alguien que no le huya al compromiso; y así. Los *ones* son transitorios. Porque además pensar que en un mundo de más de siete mil millones de personas a mí solo me corresponde uno que pudo haber nacido en Kazajistán es un poco descorazonador y pesimista. El *one*, entonces, no es único, pero sí es el indicado. Esa persona con la que todo fluye, con la que el amor es fácil, con la que se comparte la alineación de chacras y prioridades en ese momento. Y puede durar por siempre o puede tener fecha de caducidad. No lo sabemos, porque ya hemos aprendido que en la vida no hay definitivos, y que como dice Darío Gómez, "nadie es eterno en el mundo".

"La leyenda del hilo rojo del destino", popular en China y Japón, señala que los dioses amarran un hilo rojo alrededor del tobillo o de los dedos meñiques de las almas gemelas. En ese caso, el hilo rojo les permitirá unirse y no habrá chance de que las vicisitudes o sus vidas disímiles los separen. Bella historia. Pero es una historia. En la vida real el amor implica trabajo, salir a la calle, estar en el mercado. Nadie va a venir a tocar mi puerta. Y, sobre todo, para saber qué quiero tengo saber qué no quiero. Y eso solo se logra con prueba y error. Ojo, prueba y error no es drama y dolor, pero sí es arriesgarse, exponerse y conocer sus límites.

La idea de "este me corresponde a mí porque el Divino Niño lo quiso así" nos puede hacer seres perezosos, portarnos como verdaderos truhanes y no trabajar por mantener la relación a flote, porque, finalmente, ¿para qué esforzarme y serle fiel a su Joaquín si ya es mío? No, no y no. Una relación necesita trabajo (no sufrimiento ni perseverancia) para ser feliz y que el otro también lo sea. Nada está dado por el titiritero.

Y un dato extra, esta vez en forma de trabalenguas: para encontrar al *one* necesitamos primero encontrar al verdadero *one*, que es, oh sorpresa, uno (traducción directa del inglés). Es que si no encontramos, cuidamos y amamos a ese primer *one* (que en últimas es el que de verdad va a durar toda la vida), pues no podremos encontrar al otro *one*, que a la larga es el complemento del *one*... ¿Entendiste Chapulin?

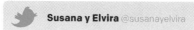

Susana y Elvira @susanayelvira

Los puntos suspensivos son como Ricardo Montaner: siempre están en la frontera entre los cursi y lo conveniente.

PERO ENTONCES, ¿QUÉ ES EL AMOR?

¿El sentimiento más grande y puro de un ser humano? ¿El regalo máximo que se le puede dar a otro? ¿La atracción emocional y sexual que se tiene por otro y que lleva a compartir una vida? ¿Una afición apasionada? ¿Un acto altruista con el que no se debe esperar recibir nada a cambio? ¿Asfixia? ¿Ceguera? ¿Irracionalidad? ¿Estupidez? ¿Estar debajo del agua y tratar de respirar? ¿Lo opuesto al odio?

"Cuando me veo al espejo", dijo el narciso. "Dolor", respondió la Madre Teresa de Calcuta.

Algunas investigaciones han encontrado, por ejemplo, que las personas enamoradas son similares a las que sufren desórdenes obsesivos-compulsivos —no solamente por sus razonamientos obsesivo-compulsivos, sino por los niveles bajos de serotonina en su sangre, por lo que en cierto sentido el amor sería una especie de adicción— pero el objeto de la obsesión aquí no sería una ruleta rusa o heroína, sino otro ser humano[5].

No podemos definir el amor. Si no han podido Platón, Sartre, ni Celine Dion, ¿por qué podríamos nosotras? Pero sí tenemos una pequeña y vaga idea de qué no es el amor: el amor no es obsesión, no es aguante, no es estar ciego, no es irracionalidad, no es pasar por encima de uno mismo. El amor no es sexo y el sexo no es necesariamente amor. Por ello nos unimos a Kant, Shlenger, Hegel, Shelly y Byron en su corriente optimista del amor, "basada en el amor como felicidad y consumación natural con tendencia a la perfección entre hombres y mujeres"[6].

Tal vez la valentísima Lou Andreas-Salomé, quien vivió una de las historias de amor más asombrosas de la historia al lado del poeta Rilke a finales del siglo XIX, nos ayude a entender el amor desde otro punto de vista. A pesar de que vivió en una época en los que la mujer no podía valerse por sí misma sin el respaldo de un hombre, muy acertadamente dijo:

> Por más desarrollados y refinados que sean dos seres humanos, más desastrosas van a ser las consecuencias de injertarse el uno a costa del otro, en lugar de desarrollar cada uno raíces fuertes y profundas en su propia tierra, para así convertirse en mundo para el otro. (...) Amar es una razón sublime para el individuo, para madurar, convertirse en algo, algo que le elige entre otros y le llama a algo amplio[7].

No queremos, ni nos atrevemos, ni vemos la necesidad de definir "amor". Lo único que sabemos es que el amor se siente rico, que es un bello sentimiento, pero que también es un concepto demasiado cargado, a veces sobre utilizado, a veces mal interpretado, a veces confuso, pero sin duda alguna, necesario.

---

5   Szalavitz, Maia. "Is It Possible to Create an Anti-Love Drug?" *New York Mag.* 2014. Web. En: www.nymag.com

6   Sánchez, Rozzana. "Significado psicológico del amor pasional: Lo claro y lo obscuro". *Revista Interamericana de Psicología* 2007: 391-402.

7   Durán, Renata. "Cuatro Mujeres Imprescindibles". 2011.

» LAS FASES DEL AMOR

- *El descubrimiento del sexo:* etapa en la que descubrimos el sexo, no se refiere exclusivamente a la pérdida de la virginidad. Ese es sólo un momento de descubrimiento sexual. Con cada nueva pareja, se descubre y redescubre el sexo. Puede ser una experiencia positiva o negativa. Podemos tomar de ejemplo a Alejandra Guzmán, a quien no le gustó hacer el amor con otro. Pero Akon, por su parte, sí tuvo una buena experiencia en este frente: *"I just had sex and it felt so good. A woman let me put my penis inside her. I just had sex and I'll never go back to the not-having-sex ways of the past"*[8]. Todo depende de lo que se encuentre en esta bonita y terrorífica etapa de descubrimiento.
- *El enamoramiento:* es como si nos hubieran hecho una lobotomía. No pensamos, no articulamos, perdemos todo tipo de razón y nos volvemos unos idiotas con ojos brillantes y mariposas en el estómago. Somos detestables, pero ni nos damos cuenta.
- *La razón sobre el sentimiento:* nos despertamos de la lobotomía y empezamos a ver las cosas desde una perspectiva completamente nueva. Algunos dirían que más realista.
- *La costumbre:* etapa de confusión natural de las parejas que conviven juntas en las que se suele confundir el amor con costumbre. El amor lleva a la costumbre en el momento en el que se vuelve rutinario, valga la redundancia.
- *La compinchería y la compañía:* etapa en la que se sustituye la fogosidad sexual y emocional de las etapas anteriores, por una dichosa compinchería que resulta en una compañía que se convierte en necesaria. Puede ser buena o mala, pero necesaria.
- *El bastón:* Etapa en que los dos miembros de la pareja se convierten en el bastón del otro. Suele darse en la edad adulta, en la vejez.

---

8   Lonely Island, The. "I Just Had Sex". Feat. Akon (2010). CD. Traducción: "Acabo de tener sexo y se sintió tan bien. Una mujer me dejó meter mi pene dentro de ella. Acabo de tener sexo y nunca más regresaré a eso de no-tener-sexo del pasado".

» LA MUNDANIZACIÓN DEL AMOR

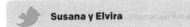

Susana y Elvira @susanayelvira

Redundancias y el "te amo mucho" o "muy delicioso".

En *Maid of Honor* Patrick Dempsey (Tom), que como siempre se interpreta a sí mismo, es un cándido soltero codiciado que no se ha dejado cazar (ni casar) por ninguna mujer[9]. La única mujer en su vida con la que puede ser él mismo y no el *player* como se muestra al mundo, es su mejor amiga Hannah. *Bien podría Tom haber crecido con nosotras, Susana y Elvira, pues sufre de un mismo mal que se nos ha achacado: el terror al "Te amo", fin del hipervínculo.* Porque Tom nunca había sido capaz de decirle a ninguna mujer "te amo", pero no tenía problema alguno en decirle eso mismo a los perros que le batían la cola: "Te amo, te amu, ti amu" (así, con voz chiquita y ridícula).

Nosotras crecimos con la idea de que un "te amo" no se iba repartiendo así como así, como tamales en campaña política. Para nosotras un "te amo" es cosa seria, porque uno puede querer a mucha gente pero amar a poquísimas. "Te amo" no es lo mismo que "te quiero". Vaya y explíquele eso a un gringo...

Nosotras sentimos un gran respeto por la frase "te amo" porque es lo *más más más* que uno puede decirle a una persona, es la verbalización máxima del amor hacia otro. Por eso, casi podríamos contar con los dedos de una mano las veces que nosotras —Susana y Elvira— le hemos dicho esas palabras a alguien.

Pero algo ha pasado. El "te amo" se ha mundanizado y ha perdido toda su carga poética y dramática. Por ejemplo, miren a los adoles-

---

9   Ahora pensamos: ¿será que la homofonía fue a propósito? ¿La creación de un hispano con terror al compromiso que equiparaba el matrimonio con colgar cabezas de rinocerontes en las paredes de ricos lobos? Ustedes, señores lingüistas, nos dirán si estamos muy equivocadas. Pero el parecido entre ambos términos es sospechoso, sospechoso.

centes ahora. Muchos —por no decir que casi todos— "aman" a todo el mundo. Porque ellos ya no quieren, aman. ¡Todo y a todos! Dicen "te amo" con la misma frecuencia y naturalidad con la que se pide un vaso de agua. Se aman entre amigos, entre compañeros de clases extracurriculares, entre recién conocidos. Y se lo dicen, como cuando uno le dice al que va sentado al lado en el bus "qué calor, ¿no?"

Pero entonces, cuando estos adolescentes aman, *aman* a alguien, entendiendo ese verbo como en los ochenta y noventa, ¿qué se dicen? ¿Te amo mucho? ¿Como "muy delicioso"?

Por mucho que nosotras dos —Susana y Elvira— nos queramos y respetemos, nunca pero nunca nos hemos dicho: "Oiga, Susi, la amo". Porque nosotras nos podemos querer mucho pero no nos amamos, y la diferencia es bien grande. Como unas ancianas retrógradas, "eso en mis tiempos no se acostumbraba".

Proponemos crear una clase obligatoria en todos los colegios —públicos y privados— que se llame "Construcción semiótica del 'te amo', la hegemonía del amor y la evasión de la lascivia del lenguaje aplicado". Y así ponerle fin a la tiranía de la libre expresión del amor sin carga dramática. Nos ofrecemos para diseñar el curso y hasta los *wireframes* de la *app*.

2. LAS MUJERES USAN ROSADO, LOS HOMBRES AZUL
(Y LAS MUÑECAS SON PARA LAS NIÑAS Y LOS CARRITOS PARA LOS NIÑOS)

Gloria, la recepcionista del doctor Meléndez hace seguir a Camila y Joaquín al consultorio. Camila acaba de completar las veinte semanas de embarazo y en esta cita sabrán si esperan un niño o una niña. El doctor Meléndez le pide a Camila que se acomode en la camilla, le destapa la barriga, la embadurna con un líquido gelatinoso helado y empieza a mover una especie de pistola en círculos. En una pantalla Camila y Joaquín tratan de descifrar las sombras negras que ven, pero no entienden nada. El doctor Meléndez los va llevando en un *tour*: "Acá está la manito, la cabecita y... Sí. Es niña". Camila y Joaquín sonríen y hasta lloran un poco de la emoción.

Salen del consultorio y Camila llama a su mamá a contarle la noticia: "Es una niña". María Elena llama a Pamela, su hija menor, a Juanita, su hija mayor y les cuenta. También llama a sus hermanos y amigas, y en menos de veinte minutos, toda la familia de Camila ha recibido la noticia.

En una semana, el cuarto vacío destinado para la pequeña Gabriela se ha llenado de cosas: pañalera, calentador de pañitos húmedos, muñequitos antialérgicos y una serie de CDs para estimular intelectual y musicalmente al bebé. Empiezan a llegar los regalos de la familia y las donaciones de las primas mayores. Joaquín mandó a pintar las paredes de rosado pálido y a poner una cenefa de castillos de princesas y flores.

Es claro para ellos y para el mundo que "tenemos una niña" y así lo demuestra el cuarto de Gabriela que aún no ha nacido y su clóset que ya está lleno de ropa que le servirá hasta que cumpla dos años.

Veinte semanas y un poquitín más tarde nace Gabriela. Tan pronto ve la luz de este mundo, lo primero que hace Camila es contarle los dedos: diez en las manos, diez en los pies. La niña es normal, bendito sea mi dios. Orgullosos salen de la clínica y esperan tres semanas para sacar a Gabrielita para que vea la luz del sol. Se van para un parque, preparados como si fueran a enfrentar el Agamenón, y una señora se queda mirando al pequeño bebé. "Tan lindo el niño". Camila y Joaquín arden en furia. "No es un niño, es una niña". Camila, después de contestarle a la señora, se voltea y le dice a Joaquín "¿Viste? Me debiste dejar ponerle la balaca rosada con la margarita blanca que nos regaló mi tía Cristina".

> **Susana y Elvira** @susanayelvira
>
> ## Sí señoras y señores, sí hay bebés feos.

Desde el momento en que somos concebidos somos encasillados y etiquetados. Gracias a los avances de la tecnología, al cuarto mes de embarazo se puede conocer el sexo del nonato y los papás tienen de cuatro a cinco meses para organizar todo para su llegada: cómo será el cuarto, de qué color se pintarán las paredes, la forma de la cuna, el color y los patrones de las sábanas, la ropa que usará. Antes de que existieran las ecografías, se utilizaban otros métodos no particularmente confiables para especular sobre el sexo del bebé, como la intuición o la forma de la panza.

Llegamos al mundo con una notable diferencia física: con un pene o una vagina. Nos visten diferente para que el mundo sepa lo que somos. No hay nada que enfurezca más a una mamá que alguien se acerque a su niñita de tres meses y diga "tan lindo el niño", como la señora del parque. O, peor, si al niño lo confunden con una niña y el papá comienza a temer lo peor frente al futuro sexo-afectivo-dominante de su varón. Por eso se empeñan por hacer la diferencia física algo evidente: vestiditos o pantaloncitos, balaquitas o gorritos, moñitos o camisetas con balones de fútbol. A las niñas las visten de rosado, a los niños de azul. Somos encasillados a ser lo uno o lo otro. A las niñas les regalan cocinas y muñecas, a los niños carritos y Legos; las niñas ayudan a sus mamás, los niños a sus papás; las niñas son dóciles y tiernas, los niños son rudos y hacen deporte; los buenos modales y la refinación son para las niñas, y está bien si los niños son unos hampones. "Las niñas para la casa y los niños para la calle", decían las abuelas.

El psicoanalista Robert Stroller escribió alguna vez que las niñas aprenden a ser niñas a través de sus padres, y de las referencias que ellos hacen a su feminidad[10]: "Pórtate así, toma tu cocinita, tú usas

---

10   Stroller, Robert. "Primary Feminity". *Journal of the American Psychoanalytic Association*. 1976; 24: 59-78.

rosado. Juanita, debes ser femenina, no juegues fútbol, juega con Barbies". La tesis ha sido debatida por otros psicoanalistas que la señalan de reduccionista[11] y en contraposición argumentan que es la identificación con la madre la que crea esa "feminidad". Independientemente de las razones, se esperan unas cosas de los niños y otras de las niñas. Y así será por siempre.

ROSADO V

Vivimos en un mundo obsesionado por clasificar para diferenciar. Los nazis hicieron cuidadosos manuales para identificar, según los rasgos y mediciones de las facciones faciales, quiénes eran arios puros y quiénes no, y así justificar su obsesión por la "pureza de raza" y las barbaridades que hicieron. Hoy seguimos siendo víctimas de los colores en ese afán de diferenciación: hemos crecido pensando —como si fuera casi una verdad absoluta, lógica y para nada una jugada mercantilista— que lo femenino debe venir en colores de toda la gama del rosa: rosadito pálido, fucsia y ese nefasto rosado que hemos denominado "rosado V". Anticonceptivos, toallas higiénicas, "cuidado íntimo"[12], campañas en contra del cáncer de seno, el *shampoo* para un brillo deslumbrante, el desodorante que te garantiza más de un levante en una noche de fiesta, el jabón para hacerte sentir como una reina, hasta las infames sudaderas de terciopelito con inscripciones con brillantes en el culo, típicas de las mujeres que se acaban de hacer cualquier tipo de cirugía plástica. Y para los hombres, una gama más "masculina": grises, negros y claro, azul, pero azul oscuro para los hombres, azul eléctrico para los adolescentes, azul cielo para los niños.

Así como hay verde limón, azul cielo, blanco nieve y amarillo pollito, hay rosado V, con V de vagina.

---

11   Moreno, Sara. "Construcción de la feminidad". *Revista de la Sociedad Colombiana de Psicoanálisis*. 2000, p. 774.

12   Por cierto, ¿qué demonios es eso?

LOS COLORES LOS DEFINE EL MERCADO

Popó

de toro
con
moscos

Se supone que la diferenciación de los géneros está fuertemente asociada a los colores. O al menos eso nos han hecho creer. Pero debemos decirles ahora mismo que eso no es más que un enorme y apestoso popó de toro. Con moscos.

Acá va un poco de la historia: a finales de 1800 era común ver varones con vestidos blancos y pelo largo, pues los niños usaban vestidos hasta los seis o siete años, el momento en que tenían su primer corte de pelo. La vestimenta de los infantes en ese entonces se consideraba *gender neutral* y se usaba blanco para niños y niñas por cuestiones prácticas: el algodón blanco permitía el uso del blanqueador para desmanchar[13]. A mediados del siglo XIX se empezaron a utilizar colores pastel, entre ellos, el rosado y el azul, los cuales fueron promovidos como significantes de género sólo hasta justo antes de la Primera Guerra Mundial. En ese entonces se decidió que el azul era más propicio para las niñas porque era "más delicado y exquisito, por lo tanto más lindo para las niñas"[14]. Por su parte, el rosado era un "color más fuerte y decidido, más adecuado para los niños"[15].

En los años cuarenta, como parte de una decisión de mercadeo sin mayor fundamento, los fabricantes acordaron que el rosado sería para las niñas y el azul para los niños. Y fue así como creció la generación de los *baby boomers* (los nacidos entre el cuarenta y tres y el sesenta y cuatro, o sea, gran parte de los padres de los que nos han clasificado como "la generación X", y "la generación Y"): con unas "ideas bien claras" sobre cómo debe verse un hombre y cómo debe verse una mujer.

En la década de los sesenta cuando surgió el movimiento feminista, el uso de los colores para calificar los sexos también se empezó a subvertir como una forma de protesta. En la búsqueda de la igualdad con los hombres, las niñas empezaron a utilizar vestimentas más masculinas, alejándose de los patrones femeninos, tratando de regresar a un mundo más *gender neutral*. Ya a mediados de los ochenta,

---

13   Maglaty, Jeanne. "When Did Girls Start Wearing Pink?". 2007. Web. En: www.smithsonianmag.com

14   Junio 1918. Artículo publicado en *Earnshaw's Infants' Department*.

15   Ibid.

con el desarrollo de los exámenes que permitían conocer el género del bebé antes de nacer, los comerciantes tuvieron una gran idea con la que agrandarían sus arcas: "dado que ahora los papás tendrán más tiempo para preparar ajuares y cuartos, separemos lo que las niñas y los niños puedan usar, así estos borregos tienen que que comprar todo nuevo para cada nuevo futuro consumidor. Muajajaja". Como diría Marx, puro "fetichismo de la mercancía". Sí, nuestros primeros roles y gustos fueron establecidos a partir de fines comerciales y sin sentido alguno, ignorando cualquier antecedente o teoría del color.

Así que no nos sorprendería que gracias al overol de rayas rojas con blancas que usó el Príncipe Jorge de Cambridge para el Día del Padre de 2014 (claro, porque con tan sólo nueve meses de edad ya es capaz de tomar decisiones de índole *fashionistas*), de repente se deje de hablar del azul para los niños y el rosado para las niñas. Si seguimos la premisa de que vivimos en un mundo en el que por primera vez en la historia el mercado dicta las tendencias de las conductas de la sociedad, pronto el rojo se convertirá en un color marcadamente masculino.

PODEMOS SER LO QUE DECIDAMOS, PERO QUÉ ENREDO

Basta con partir del hecho de que somos biológicamente diferentes y que las culturas en que crecemos nos diferencian, pero necesitamos entender que vivimos en el mismo mundo. Somos un colegio mixto, no colegios de niños y niñas dirigidos por grupos de curas y monjas.

Nosotras crecimos en un país patriarcal y machista por definición, pero en el que los Cabbage Patch Kids, Barbies, cocinitas, GI Joe's y camiones de Tonka convivían sin atisbos de guerras civiles. Podíamos inventarnos juegos en los que las Barbies se iban en misiones con Los Magníficos y en los que Ken era William Adams de Shogun, que era encerrado en un hueco por los malvados japoneses que le tiraban pescados crudos por una rejilla para mantenerlo con vida. Para ciertas cosas esta libertad creativa que nos ofrecieron los ochenta fue una suerte, pero para otras, la causal de una enorme confusión. Porque a ratos podíamos decidir ser el Coronel John Hannibal Smith o Mario Baracus, de repente Jem, otras veces Moonra, después She-Ra, y también Lucho Herrera. Aunque le metíamos mucha imaginación a nuestros juegos, llegaba Navidad o el cumpleaños y nos llenaban el cuarto de Barbies, Mi pequeño pony, Fresita y sus amigas. Todo rosadito y tierno. Tal vez nos regalaban una bicicleta, pero rosada y llena de flecos y pompones, y con una canastica blanca con flores. Nunca una bicicleta de montaña o un par de guayos.

Crecimos entonces enredadas en una dualidad que nos hacía tener los pies en aceras opuestas, saltando de un lado a otro: Barbie podría

luchar a la par con los Transformers en la guerra del Golfo o ser un ama de casa que le cocinaba a su esposo Ken, cuando en el juego decidíamos que eran marido y mujer. Nosotras crecimos como niñas que usaban rosado cuando querían, pero lo podíamos combinar con azul si se nos daba la gana. Aunque debíamos esforzarnos para cruzar esa línea, echándole mano a lo que teníamos en el cuarto y los juguetes que a veces nos prestaban nuestros hermanos.

Pero este mundo consumista insiste en que los objetos para niños y niñas sean evidentemente diferentes y que los dos nos diferenciemos por colores que están llenos de significados que encierran los supuestos valores de cada uno de los géneros y le ponen un cierto orden a las cosas. ¿Cuándo se ha visto un *shampoo* para prevenir la caída del pelo en los hombres que venga en un tarro rosado? ¿O un jabón íntimo para mujeres en tarro negro?

Existe aún un tabú frente a los niños que prefieren jugar con las muñecas de sus hermanas o las niñas con los carritos de sus hermanos. Porque si un niño juega a la casita y le cambia el pañal al muñeco Nenuco, alguna tuerca debe tener floja por ahí. "Este va a marica que se las pela". O si la niña prefiere montar en bicicleta, jugar fútbol o armar Legos, "es como marimacha la niñita".

Tal vez nadie haya puesto mejor en evidencia lo absurdo de este hecho como Charlotte Benjamin, una niña de siete años que le escribió una carta a la compañía Lego expresando su profunda frustración por sus líneas de juguetes para niños y para niñas, con los que claramente no les ofrecían las mismas oportunidades a las niñas que a los niños: "Tengo siete años y me encantan los legos pero no me gusta que haya más muñecos niños de Lego y casi ninguna muñeca Lego niña. Hoy fui a una tienda y vi que había legos en dos secciones, las niñas rosado y los niños azul. Todo lo que hacían las niñas era sentarse en la casa, ir a la playa y comprar y no tenían trabajos, pero los niños iban de aventuras, trabajaban, salvaban gente, y tenían trabajos, incluso nadaban con tiburones. Quiero que hagan más niñas de Lego y que las dejen ir a tener aventuras y divertirse, ¿ok?"[16].

» COLORÉELO DEL COLOR QUE PREFIERA

16   La carta original de Charlotte dice: *"I am 7 years old and I love legos but I don't like that there are more Lego boy people and barely any Lego girls. Today I went to a store and saw legos in two sections the girls pink and the boys blue. All the girls did was sit at home, go to the beach, and shop, and they had no jobs but the boys went on adventures, worked, saved people, and had jobs, even swam with sharks. I want you to make more Lego girl people and let them go on adventures and have fun ok!?"*.

Los roles apestan. Charlotte lo sabe. Y ya es hora de empezar a considerar a los hombres y las mujeres como individuos, y dejar de encasillarnos en grupos estereotipados, como bien lo dijo Anne Anastasi en 1958[17].

OTROS MITOS RELACIONADOS CON LOS ROLES

» LAS MUJERES SOMOS PÉSIMAS EN LAS MATEMÁTICAS

Según el estereotipo, los niños son mejores que las niñas en matemáticas, y las niñas son mejores que los niños en lenguaje. Un estudio publicado en *Psychological Science* demostró que las niñas decían sentirse más ansiosas frente a las matemáticas, no porque en realidad estuvieran más ansiosas, sino porque esa era la forma en la que creían que debían sentirse. También señalaban que no eran muy buenas en la materia, aunque los resultados de su desempeño fueran los mismos que los de sus compañeros[18].

Aun así, la idea del bajo rendimiento de las niñas en matemáticas ha sido soportada históricamente por los resultados de exámenes. En las pruebas PISA, por ejemplo, los niños superan a las niñas en un promedio de once puntos en matemáticas; mientras que las niñas superan en treinta y ocho puntos a los niños en las pruebas de lectura[19]. Los investigadores de la OCDE, los mismos que organizan las pruebas PISA, señalan que la brecha entre niños y niñas es más amplia en países como Colombia donde el estereotipo está vivo, que en países como China donde esta idea no existe.

17   Anastasi, Anne. Differential Psychology. 1958, pp. 497-8. En: http://www. ncbi.nlm.nih.gov/ La cita original dice: *"From all that has been said, it is apparent that we cannot speak of inferiority and superiority, but only of specific differences in aptitudes and personality between the sexes. These differences are largely the result of cultural and other experiential factors... the overlapping in all psychological characteristics is such that we need to consider men and women as individuals, rather than in terms of group stereotypes"*.

18   Goetz, Thomas. "Do Girls Really Experience More Anxiety in Mathematics?". 2014. Web. En: http://www.ncbi.nlm.nih.gov/

19   Organisation for Economic Co-operation and Development, OECD. *Are Boys and Girls Equally Prepared for Life?* Pisa: OECD, 2014.

Así como en algún momento nos dijeron que apestamos en matemáticas, en otro se dijo que las mujeres no podíamos hacer los mismos
trabajos que los hombres por nuestra falta de fuerza y de destreza
motriz. Pero faltó una guerra, un aumento bárbaro en la mortalidad
masculina y la falta de sustento para las mujeres y sus familias, para
que a las mujeres les abrieran las puertas del mundo del trabajo en
las fábricas y manufacturas[20]. De repente, por cuenta de la necesidad,
dejaron de recurrir a argumentos falaces.

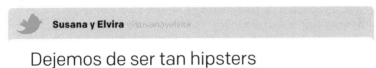

Susana y Elvira @susanayelvira

Dejemos de ser tan hipsters
y tutiémonos.

» LOS HOMBRES SON DE MARTE Y LAS MUJERES DE VENUS

A John Gray, el archimillonario autor de *Los hombres son de Marte y
las mujeres de Venus*, se le ocurrió la maravillosa idea de justificar las
diferencias entre hombres y mujeres diciendo que venimos de planetas diferentes y que nos sentimos tan cómodos en nuestro propio
mundo que nos cuesta trabajo ponernos en el lugar del otro. Entonces
escribió que, por ejemplo, mientras los hombres marcianos son tan
pragmáticos que viven y respiran por encontrarle solución a los problemas, a nosotras nos priva hablar de los problemas, y nos estanca-
mos en peroratas eternas y sin solución. También dice que mientras
que a los hombres les importa sentirse necesitados, a las mujeres nos
importa sentirnos apreciadas —así, excluyente y exclusivamente—;
que los hombres necesitan tiempo para estar solos y así lidiar con el
estrés, mientras que nosotras lo aliviamos hablando como cotorras.
Gray se basó en estereotipos para vender más de cincuenta millones
de libros, y siguió alimentándolos al punto que hoy tal tontería hace
parte de la sabiduría popular.

---

20   Weber, Brandon. "In Wwii, Some Amazing Women Proved They Could Do the
Same Jobs as Men. That History Might Disappear". Web en www.upworthy.com

Pensar que venimos de planetas diferentes es facilista y un poco cliché. Cualquier intento de etiquetarnos, homogenizarnos como miembros de un mismo género, y de separarnos como seres humanos con necesidades y prioridades individuales, es mezquino y no puede sino resultar en generalizaciones e incomprensiones de unos frente a otros. Además nos quita responsabilidades sobre nuestras acciones.

> "Pajarito rosado con vientre blanco, si no te dejo dormir es porque, ay, entiende, soy mujer y me gusta hablar mucho, mucho, mucho. Pero tú nunca me prestas atención, buju-ju", dice Sabrina a Leo. Y Leo responde: "Ay mujer, si no te presto atención, nunca, nunca, nunca, es porque estaba en mi planeta pensando en tetas y culos, ya sabes... estoy estresado".

El mundo de Gray es muy justo y sensato.

» LAS MUJERES SOMOS DÉBILES

"Mujer" pareciera ser sinónimo de débil o boba. Si no lo creen, vean no más las definiciones de la RAE. ¡La RAE!:

> "HOMBRE. Ser animado racional, varón o mujer. / Individuo que tiene las cualidades consideradas varoniles por excelencia, como el valor y la firmeza. / El que tiene entereza y serenidad.
>
> MUJER. Persona del sexo femenino. Que tiene cualidades consideradas femeninas por excelencia.
>
> FEMENINO. Débil, endeble.
>
> MASCULINO. Varonil, enérgico.
>
> PADRE. Varón o macho que ha engendrado. Cabeza de una descendencia, familia o pueblo. Padre de familia: jefe de una familia aunque no tenga hijos.
>
> MADRE. Hembra que ha parido. Madre de familia: mujer casada o viuda, cabeza de su casa"[21].

---

21 Definiciones que se modificarán en el Diccionario de la Real Academia Española (RAE) que se publicará en octubre de 2014. Revisado la última vez el 26 de agosto de 2014.

¿Pero débiles para qué o según quién? Pues por ejemplo para Platón, quien escribió en el Libro V de *La República*, alrededor del año 380 A.C., que las mujeres debían entrar al sistema educativo y competir en igualdad de condiciones con los hombres para generar un sistema equivalente a lo que hoy conocemos como "la meritocracia". Aún así, según él, las mujeres somos más débiles que los hombres. Y no nos sorprende. Este señor vivió en una época en la que existía algo llamado "el modelo ateniense de fuerza y excelencia física", de donde salió la tradición occidental de los Juegos Olímpicos[22]. En ese entonces, además, sólo los hombres mejor dotados serían los merecedores del honor de proteger a la comunidad de invasiones y pueblos enemigos, como queda claro en la parte 2 de este libro.

Lo que no nos cabe en la cabeza es cómo nuestra sociedad se pudo ajustar a todos los cambios que trajo Internet, a la idea de que ya no tengamos que ir a lavar ropa al río, que existan organismos multilaterales que nos salven de conflictos internacionales y haya drones que maten niños a control remoto; y no pudimos sacarnos la idea de la debilidad de las mujeres de la cabeza. Porque, *newsflash*, ya no son necesarios hoy la fuerza física, ni el poder levantar arcos y flechas pesados —como todas esas pruebas que tuvo que pasar el pobre Tom para demostrar su hombría frente a Colin y toda su familia escocesa en Maid of Honor—, ni todas esas cosas que los hombres con mucha testosterona hacen "mejor".

3. ES POSIBLE REHABILITAR GAMINES

Los gamines —o neandertales como los hemos clasificado desde hace mucho tiempo— son esos tipos que pululan pero deberíamos evitar a toda costa. No creemos que estemos generalizando si decimos que todas hemos tenido por lo menos uno de estos en nuestras vidas. Y claro, nos han hecho ver un chispero. Porque suelen ser aquellos que cuando salen de nuestras vidas nos hacen entrar en modo "pues ahora sí me voy a volver una perra". Como la premisa de "el acusado es inocente hasta que se demuestre lo contrario", es apenas humano

---

22   Farrell Smith, Janet. "Plato, Irony and Equality". En *Hypatia reborn: essays in Feminist Phylosophy*. 1990, p. 37.

saber que todos nacemos buenos hasta que llega un gamín —o una guaricha despiadada— a corrompernos, y nos hace querer sacar el Darth Vader que hay en nosotros.

 Susana y Elvira @susanayelvira

Perro es perro, gato es gato y gamín es gamín.

CLASIFICACIÓN DE TIPO DE GAMINES

» EL JAMES DEAN · EL MALANDRO

El gamín malandro es bien básico: se emborracha cada vez que tiene la oportunidad, se da en la jeta, es celoso enfermizo, le gustan las motos y los carros, sabe de mecánica, y es un gran manipulador (ver descripción del macho alfa en la parte 2 de este libro). Tiene bien claro que el punto débil de cualquier mujer son las otras mujeres, pues él sabe —y se esfuerza por dejárselo bien clarito— que hay muchas viejas en el mundo y que él puede levantarse a la que se le de la gana. Usted NO es única, ni mucho menos irremplazable

EL DANIEL CLEAVER

EL TRIPP

EL JAMES DEAN

para este gamín. Es como un jefe maldito que le hace saber que su puesto siempre está en una cuerda floja, porque si usted no hace su trabajo con los resultados que él espera, hay cientos allá afuera dispuestos a hacer lo mismo, "por mucho menos".

» EL DANIEL CLEAVER[23] - EL NARCISO

Es el convencido absoluto. Problemas con su aspecto físico no tiene, es el poseedor de la verdad absoluta y cree que nunca la caga. El mundo se equivoca, él nunca. Es el tipo de neandertal que pronuncia frases tipo "yo me puedo levantar a la que se me de la gana", para que su presa no se vaya a buscar lo que no se le ha perdido, sepa que él es todo un *catch* y por ende se sienta la mujer más afortunada del planeta Tierra. El Daniel Cleaver está enamorado de sí mismo y esa relación de yo-con-yo es tan perfecta que enamorarse de alguien más es una redundancia.

---

23   Daniel Cleaver (Hugh Grant) en: *Bridget Jones*. Dir. Sharon Maguire. Prot. Renée Zellweger, Colin Firth, Hugh Grant. 2001.

EL BARNEY STINSON

EL TONY STARK

EL TROY DYER

» EL TRIPP[24] - EL "AYÚDAME A AMARRARME LOS ZAPATOS"

El Tripp utiliza la estrategia de hacerse pasar por bobo y débil. Porque eso sí, esa estrategia no es exclusiva de las mujeres. Los "Tripps" son un problema, porque saben bien por dónde es la vuelta. Lo hacen sabiendo que vamos a caer fácilmente en la trampa porque tocan nuestras fibras maternales. Como por ejemplo esos que tienen cara de "ayúdame a amarrarme el zapato". *Esos* son un peligro, con sus ojitos del gato con botas y ese halo de desprotección. Saben cómo jodernos. Saben que nos encanta sentirnos necesitadas.

» EL TROY DYER[25] - EL MELANCÓLICO

Qué le hacemos. Un man triste puede ser bien sexy. O sino, no más vean a Robert Downey Jr. en el video de Elton John "I want love". El Troy Dyer ataca a su presa con su melancolía, con su sensibilidad, con toda esa parafernalia que monta para mostrarse como un "artista". Es como una clase de boa constrictor en cuya melancolía radica la fuerza con la que estruja y asfixia a su presa. El tipo no le tiene miedo a llorar, porque el llanto para él es una estrategia exitosísima con las mujeres. "Lloremos juntos" o "límpiame los mocos". El Troy Dyer es por excelencia el neandertal sensible y al dicho que reza "en cojera de perro y en lágrimas de mujer no hay que creer" debería añadírsele "ni en llanto melancólico de neandertal sensible".

» EL TONY STARK[26] - EL DE PROBLEMAS DE INTIMIDAD

Es incapaz de comprometerse y le cuesta sangre mostrarse vulnerable ante otra persona. La palabra "intimidad" le produce ponzoña. Por eso se inventa una armadura que es un arma mortal para que nadie nadie nadie en el mundo sea capaz de permear ese duro caparazón. Porque el Tony Stark se pasa la vida evadiendo, y como

---

24 Tripp (Matthew McConaughey) en: *Failure to Lauch*. Dir. Tom Dey. Perf. Matthew McConaughey, Sarah Jessica Parker, Kathy Bates. 2006.

25 Troy Dyer (Ethan Hawke) en: *Reality Bites*. Dir.Ben Stiller. Prot. Winona Ryder, Ethan Hawke, Janeane Garofalo. 1994.

26 Tony Stark (Robert Downey Jr.) en: *Iron Man*. Dir. Jon Favreau. Prot. Robert Downey Jr., Gwyneth Paltrow, Terremce Howard. 2008.

tal, para algunas mujeres, este tipo de gamines se convierten en un reto: "Este conmigo cambia porque cambia. Ya verán".

» EL BARNEY STINSON[27] - EL PERRO

Se sabe todas las técnicas y tácticas de levante para cualquier perfil de fémina. Ha estudiado cuidadosamente el comportamiento femenino y sobre todo, las inseguridades de cada tipo de mujer. Y es por ahí por donde ataca con un éxito casi siempre asegurado. Porque sabe cómo parecer interesado en su presa, por lo que llevársela a echársela a la muela es mucho más fácil. El Barney Stinson sabe quedar siempre como un rey, cómo evitar cualquier tipo de compromiso y mantener un saludable y variado menú semanal.

LOS GAMINES SON INFIELES

Patricia se despertó ese sábado por la mañana por el sonido de un mensaje entrante del celular de Boris, que estaba tan profundo que ni el ruidito de 3CPO que le había puesto el día anterior al celular lo despertó. A ella en cambio la despertó como si la hubiera levantado una papa bomba de una protesta de La Pedagógica. Patricia echó un vistazo rápido al mensaje y le pareció un poco rara la corta línea de "Pérez": "Bo, ¿por qué no apareciste ayer?" Patricia se volvió a acostar pero no logró conciliar de nuevo el sueño.

Más tarde, cuando estaban desayunando, Patricia le preguntó a Boris, "¿quién es Pérez?", pregunta que evadió Boris ágilmente pero con algo de nerviosismo. "Ah, ¿por qué?", respondió. Patricia insistió, "¿quién es?". "La practicante... ¿por qué? ¿Ya estás de loca haciéndote ideas en la cabeza?". Patricia decidió dejar la cosa de ese tamaño y seguir con su desayuno como si nada.

Pero la vocecita de vieja loca no dejaba en paz a Patricia que tenía "una espinita" que no lograba sacarse. ¿Por qué la tal "Pérez" le manda un mensaje a Boris un sábado por la mañana? ¿Qué hace la practicante preguntándole por qué no apareció? ¿A qué? ¿A una reunión? ¿"Bo"?

---

27   Barney Stinson (Neil Patrick Harris) en: *How I Met Your Mother.* Creadores Carter Bays, Craig Thomas. 2005-2014.

Pasaron los días y Boris cada vez hablaba menos y más se pegaba a ese celular que bloqueaba cada vez que Patricia se le acercaba. La "espinita" de Patricia seguía ahí, enterrándose y enterrándose, pero no sabía cómo enfrentar a Boris. Ya le había preguntado una vez por "Pérez", si lo hacía nuevamente sacándole una hipótesis de que esa no era simplemente una "practicante" la respuesta que recibiría casi con seguridad sería algo así como: "Pati, de qué hablas. Estás como loca".

Y volvió a pasar. Días más tarde, mientras Boris se bañaba, un nuevo mensaje de "Pérez" llegó: "¿Hoy sí?" Patricia entonces se armó de valor y decidió metérsele al baño a Boris y sorprenderlo con un grito que hizo que se pegara contra la puerta de vidrio de la ducha. "¡De qué hablas! ¡Y qué haces revisando mi celular!".

Cierto. ¿Qué hacía Patricia revisándole el celular? Pero es que el diablo es puerco y empuja. Después de muchos intentos fallidos para tratar de conversar sobre el hecho, la verdad salió a flote y Boris finalmente le aceptó a Patricia que "se habían dado besos en la fiesta de fin de año". Una respuesta incompleta pero suficientemente clara y contundente para Patricia. Ahora ella tendría que tomar una decisión: acabar todo, o hacerse la boba, o tratar de recomponer el vínculo roto.

La primera "virtud" que se le atribuye al gamín o neandertal es su imposibilidad de tener los calzones arriba, o de dejar de coquetear con cuanta garra con falda se le cruza en el camino. "Dime con cuántas te acuestas y te diré qué tan macho eres", reza el adagio.

 Susana y Elvira @susanayelvira

Cuando hay harto neandertal en busca de rosas para el 8 de marzo, solo les digo: no den rosas, solo dejen de morbosear y de perrear. Y listo.

Según la consultora GFK, que en 2012 publicó un estudio sobre infidelidad en América Latina, el 37% de los hombres ha sido infiel, comparado con el 22% de las mujeres[28]. Colombia está en primer lugar en número de infieles, seguido por México. *Para los neandertales esta cifra debería ir en el mismo PowerPoint viral con fotos cursis de atardeceres llaneros en las que destacan que "Colombia es el segundo país en biodiversidad", "Colombia es el país más feliz del mundo", "tenemos el segundo himno más hermoso del mundo", y todas esas babosadas que nos hacen olvidar nuestro lugar en el desplazamiento forzado y en las violaciones a los derechos de los trabajadores. Pero ese es otro tema. Fin del hipervínculo.*

El caso es que nuestra sociedad latina premia la infidelidad, en los hombres. De malas que no nacieron mormones, ni jeques saudíes, sino en uno de los continentes más católicos del planeta. Motivaciones tan estúpidas como "sea macho", "eso es normal", "no nacimos para ser monógamos", "nadie se va a dar cuenta" y "vea cómo está de rica" son algunos de los argumentos de los infieles. Y no lo decimos solo nosotras:

> Al hombre "fiel", lo presionan cargas sociales que lo coaccionan hacia conductas polígamas, quiera o no ("una oportunidad no se rechaza"), quien lo hace debe soportar el peso de la coacción ejercida hacia la idea de masculinidad ("es un marica"). Con esto no quiere decir que los hombres resultan ser víctimas, mejor son parte de construcciones sociales que crean formas de ver y actuar en el mundo, que facilitan o imponen ciertas conductas como la infidelidad.
> –Carlos Laverde, sociólogo y economista.

Pero no sólo los hombres son infieles. Las mujeres también.

En algunos casos la infidelidad es una ficha que se juegan los infieles para demostrarle al otro que hay algo terriblemente mal o estamos sintiendo una grandísima frustración e insatisfacción. En otros

---

28 Aquí el margen de error es altísimo, pues en algunos casos la infidelidad causa vergüenza y rechazo. Y en otros, porque mientras para los hombres puede ser una razón de orgullo tirar con muchas a la vez, para las mujeres es una razón para sentirnos avergonzadas y débiles. Además, ¿qué es la infidelidad? Desafortunadamente todavía no hay un indicador estándar para medirla, algo como el Sistema Métrico Internacional, o un indicador tipo Índice de Grasa Corporal que fije cuándo hay infidelidad y cuándo no. Porque para algunos darse un beso con un tercero es haber sido infiel, y para otros sólo hay infidelidad cuando se le compra casa a la moza.

casos, para demostrarse a ellos que sí pueden jugar con candela y que en efecto, están lo suficientemente vivos para sentir que eso quema. O que todavía pueden levantar en la calle. En algunos casos, los infieles son como los asesinos en serie: actúan, dejan pistas y consciente o inconscientemente esperan ser descubiertos. Porque poner los cachos es mandar un mensaje: "Mire de lo que soy capaz" o "páreme bolas que estamos en crisis". Así que por más cuidadoso que el "ponedor de cachos" sea, dejará migajas que lleven a la víctima a la casa de la bruja. Como Hansel y Gretel. Mensajes de texto, *emails*, registros de llamadas que esperan ser descubiertos para que el otro se percate de la llamada de atención, que puede ser un grito de auxilio o una declaración de guerra.

Cada quien hace lo que se le da la gana. Pero lo que está mal con la infidelidad es el escarnio al que se somete al engañado. "Pobrecita Patricia, tiene unos cachos de aquí al piso 17", "si tan solo supiera", "y ella que siempre alardea de su relación perfecta, tan boba". Esa última fue pronunciada por una arpía chismosa y envidiosa de esas que se sienten mejores porque conocen la información que otra no, o porque a otra mujer, cree, le va peor que a ella.

En algunos casos para ser premiado socialmente por los otros machos, un macho infiel debe pregonar la infidelidad. Entonces ahí es donde la persona engañada sufre y es maltratada. Es un círculo: "¿Qué saco comiéndomelas a todas si nadie se va a enterar?". Y si el comité de aplausos de los machos se entera, es bien posible que comiencen a hablar a las espaldas de la persona engañada.

No tenemos nada en contra de las relaciones abiertas, cuando las dos partes saben a qué atenerse y cuáles son las reglas del juego. Pero no, querido neandertal, una relación *no* es abierta cuando la otra parte lo ignora, esos son simplemente cachos. Ramplones y mundanos.

La píldora y los otros métodos anticonceptivos le dieron a la infidelidad la igualdad de género que necesitaba. Antes, si una mujer era infiel, corría el riesgo de llevar al hogar hijos de otros, de engañar con lo más primitivo, haciendo que el macho del hogar tuviera que alimentar hijos que no eran de él. Pero ya no. Ya podemos engañar en igualdad de condiciones. Aun así, en algunos casos la infidelidad de las mujeres sigue siendo condenada y la de los hombres casi alabada.

No creo que el asunto de la infidelidad dependa del sexo y/o del género, más bien depende de las variables educativas, sociales y culturales que condicionan la fidelidad y la infidelidad en ambos sexos. Es evidente que nuestra sociedad e idiosincrasia ha permitido y validado la infidelidad masculina hasta el punto de normalizarla y naturalizarla en ellos, no siendo así para las mujeres. Las mujeres, por su parte, han desarrollado estrategias más refinadas, secretas y complejas para ser infieles. –Alejandra Quintero, psicóloga y asesora sexual.

La monogamia puede apestar. Pensar en que una vez uno se case —o comprometa en una relación estable— va a tirar con una y sólo una persona, que el 99,999% de los hombres del mundo estarán vetados y que lo que ya no hizo no lo hará, es descorazonador. Pero hay que elegir las batallas. Si la falta de diversidad es más poderosa que la certeza que da la monogamia, pues no se meta en una relación, haga la Hugh Grant. Pero escoja. No se puede pretender tener los dos. O naranja o banano, pero no los dos, eso lo sabemos bien los que tenemos colon irritable. Y los gastroenterólogos.

» ¿POR QUÉ SON INFIELES?

- Razones de la infidelidad masculina, según el psicólogo Robert Weiss: mintió a la hora de decir que quería comprometerse; es inseguro y su promiscuidad es lo único que le alimenta el ego; cree que mientras que su pareja no se entere de su infidelidad, no está haciendo nada malo; tuvo un trauma que lo dejó herido e incapaz de comprometerse; tiene expectativas muy altas que por más que busque nadie podrá suplir; está aburrido y quiere encontrar emoción en prostitutas, porno o en *affairs*; confunde la emoción del comienzo de una relación con amor; tiene una adicción al sexo, a las drogas, o al alcohol; es la mejor forma que encuentra de decirle a su pareja que quiere una salida; o cree que su esposa, como su mamá, debe satisfacer todas sus necesidades, y cuando esto no pasa quiere buscar un reemplazo para esa relación fallida[29].

---

29   Weiss, Robert. "All About Men and Infidelity". *Love and Sex in the Digital Age*. 2013. Web. En www.psychologytoday.com

> Razones de la infidelidad femenina, según Robert Weiss: se siente subvalorada e ignorada; quiere sentirse cercana a alguien en el campo no sexual, y no lo encuentra en su pareja; está aburrida o se siente sola; tiene expectativas muy altas sobre lo que su pareja debe ofrecerle emocionalmente; tiene un "desorden de intimidad" causado por algún trauma emocional vivido, lo que genera compulsiones que se manifiestan en el campo sexual o afectivo[30].

LOS GAMINES CONSIGUEN TODO A PUNTA DE CARISMA

Leo creció evadiendo responsabilidades, pasando todo raspando, de milagro se graduó del colegio porque logró cautivar a sus profesores con su carisma. Porque cuando Leo debía estar estudiando y preparándose para entrar a una universidad, decidió que más bien invertiría su tiempo jugando billar con sus amigos. Y la verdad sea dicha, Leo es un putas para el billar. Si se hubiera interesado en conocer algo de teoría que explica sus habilidades detrás del taco, el tipo hubiera sido un ingeniero mecánico brillante, o algo así. Pero no, Leo decidió dedicarse a la vida fácil y aplicar con toda "la ley del menor esfuerzo". Un gran mediocre lleno de carisma.

Después de pasar por varias carreras universitarias, empezando y saliéndose a los tres semestres porque "eso no es lo mío", ya un poco viejo para el rango de edad de sus compañeros, Leo obtuvo un diploma cualquiera con el que podría entrar formalmente al mundo laboral profesional. Así que consiguió un trabajo con un sueldo "a penitas", pero él muy contento decidió seguir ahí sin hacer mayor cosa para mejorar su situación profesional y económica. Finalmente tenía un trabajo que le quedaba fácil de hacer, que demandaba poco de él y un sueldo suficiente como para poder irse de rumba con sus amigos Vitto, Boris y Mendoza.

En una de esas rumbas, Leo conoció a Sabrina. Cuando se conocieron, Sabrina quedó matada: era churro, gracioso, inteligente,

30 Weiss, Robert. "Why Women Cheat: 5 Reasons for Female Infidelity". *Huffington Post*. 2013. En www.huffingtonpost.com

simpático y un poco tierno. Empezaron a salir y a los seis meses decidieron irse a vivir juntos. Sabrina y Leo se arrejuntaron enamorados, casi como lo dicta la ley de Disney, pero sin el matrimonio. Los meses empezaron a pasar, Sabrina cambió de trabajo, Leo seguía en lo mismo, haciendo lo mismo, sin chistar. Sabrina empezó a hacer planes a futuro y Leo asentía siguiéndole la cuerda. Sabrina quería comprar un apartamento con Leo, tener hijos tal vez, viajar. Pero como todo en su relación, todo se quedaba en planes.

Sabrina tenía montado en un pedestal a su Leo. Estaba convencida de que era un hombre lleno de potencial, capaz de comerse al mundo, y que si no lo había hecho era por falta de suerte, y que lo que necesitaba para hacerlo era un pequeño empujoncito de su parte. Como cuando a un recién nacido lo tiran al agua: el chino sí o sí se las ingenia para sacar su cabeza del agua. Así que Sabrina, sin una conciencia absoluta del hecho, empezó a poner en marcha el PHL: "Plan Rehabilitación Leo".

Sabrina empezó entonces a llevarlo a los almacenes para que comprar ropa nueva guiándose por su gusto e idea de cómo Leo debería verse; le buscó cursos presenciales, *online*, pagos y gratuitos. Leo empezó algunos pero no terminó ninguno. Se empezó a inventar paseos con sus amigos y familia para alejarlo un poco de sus amigotes, quienes para ella, eran una partida de buenos para nada, contrario a lo que era su Leo.

Y todo lo hizo por el gran amor que sentía por él, siempre con "la mejor intención". Pero sus intentos siempre resultaban fallidos, porque por mucho "amor" con el que Sabrina hiciera las cosas, lo que sentía Leo era un profundo sentimiento de rechazo a todos los intentos de su novia. Leo la rechazaba porque sentía que Sabrina insistía en todo esto precisamente porque ella lo rechazaba como era.

Y entonces la relación de Sabrina y Leo rápidamente empezó a irse por el despeñadero. Cada día se soportaban menos. A Sabrina se le cayó Leo al piso y empezó a verlo como un mediocre conformista, un bueno para nada, que probablemente no merecía su ayuda. ¿Para qué si la recibía tan mal?

En medio de su frustración, Sabrina decidió hablar con su amiga Patricia y contarle la situación en la que se encontraba. Patricia le dio un libro *Los hombres son de Marte, las mujeres de Venus* y le recomendó leérselo. Sabrina, entre incrédula y frustrada decidió una noche leerlo y subrayó una frase que encontró: "... la verdad es que él se resiste a cambiar porque cree que no es lo suficientemente amado. Cuando un hombre siente que recibe confianza, aceptación, aprecio, y demás, comienza a cambiar, a crecer y a mejorar en forma automática".

Sabrina cerró el libro con rabia. "Pues de malas. Que cambie solito si se le da la gana. Yo me abro".

 Susana y Elvira @susanayelvira

Nada que despiste más que un man feo con voz de churro.

CREEMOS QUE ES NUESTRO DEBER RESCATAR A LOS GAMINES

Abby Ritcher lo tenía todo hasta que se le apareció el nefasto Mike Chadway[31] con su carisma y don para conquistar mujeres con baja autoestima. Abby lo intentó todo para evitar al neandertal, hasta que cayó en sus garras cuando Chadway le mostró su lado sensible que no era más que una máscara detrás de la cual escondía todas sus inseguridades. Abby la sudó, salió con un tipo perfecto y de verdad intentó zafarse del guapo Mike, pero le fue sencillamente imposible quitarse del medio al neandertal sensible. Chadway también puso de su parte, aunque más bien fue que se vio forzado por Abby a cambiar. Era la única manera de llevarse el premio gordo a la cama. Abby merece una estatua. Porque fue capaz de rehabilitar a semejante gamín y hacerlo "un man de bien".

---

31 *The Ugly Truth*. Dir. Robert Luketic. Perf. Katherine Heigl, Gerard Butler. 2009.

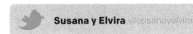

Susana y Elvira @susanayelvira

Si me quitan la luz, no tengo 2.658 velas de todos los tamaños para iluminar mi casa como pasa en las películas. Por mucho tendré un fósforo.

La historia de *La cruda realidad* parece sacada de un molde: mujer buena, en el camino al éxito, pero con algunas inseguridades, se cruza en el camino a un neandertal de voz gruesa, barba poblada y mucho músculo. Después de mil dramas coherentes con el género, la damisela en apuros rescata al neandertal de su hoyo insensible y mujeriego y juntos viven romántica y sensiblemente por siempre. Tan bonito.

Pero, de nuevo, las *chick flicks* nos cagaron la vida porque nos dijeron que era posible rehabilitar gamín. Que no importaba cuán malo y ajetreado el neandertal fuera, siempre tiene un príncipe azul de metileno por dentro, dispuesto a salir al menor esfuerzo de su amada. ¡Popó de toro! Es bien probable que el neandertal sea neandertal hasta el final de sus días.

Popó de toro

UN GAMÍN NO TIENE REHABILITACIÓN

Todas tenemos dentro, en algún grado, a una madre Teresa de Calcuta, una Lady Di, una Angelina Jolie o incluso una Madonna, que cree que una de sus tantas misiones en la vida es salvar a la humanidad. O por lo menos salvar a un bueno para nada con potencial. *Ayudemos a los pobres, a los niños y a ese mancito al otro lado de la barra del bar que tiene cara de estar súper triste.*

Dentro de los matices de los gamines, hablemos nuevamente del man triste. Son esos tipos de hombres utilizan su rudeza y debilidad para ser irresistiblemente sexies. Pero es que ese *sex appeal* no se traduce necesariamente en deseo carnal y animal. No. Se traduce, para nosotras, en un reto. En el reto de cambiar a un perro en un gato con personalidad de caballo. Y nosotras nos unimos al cántico de la campaña de Mockus: "¡Sí se puede. Sí se puede!". Solo vean tantos casos en *Consejos viscerales para casos reales* en los que una damisela salvadora creía que cambiaría a su hombre y solo vio estrellas[32].

Si los hombres escalan montañas, se tiran de paracaídas, se aficionan a los carros o a las motos para sentirse hombres y viriles, muchas se embarcan en el reto de cambiar a un hombre. Porque tanto hombres como mujeres nos medimos por nuestras conquistas.

> No, él no es que sea gay. Es que no me ha conocido para que sepa que de verdad le gustan las mujeres.
>
> No, él no tiene problemas con el compromiso. Es que no me ha conocido para que sepa lo que es estar con una buena mujer que lo va a cuidar y adorar por toda la vida.

Tratamos de convencernos de que tenemos el poder de la transformación como por mandato divino, que Jesús no era el único capaz de transformar el agua en vino, que cualquier gamín siempre tiene potencial y que nosotras somos capaces de sacárselo.

Pero ya sabemos que Bridget no pudo cambiar a Cleaver y éste siguió siendo el mismo sobradito, convencido y narciso que conoció en la primera parte de la película. Carrie tampoco la logró con Mr. Big. Y peor aún, terminó sucumbiendo después de muchas columnas y conversaciones con sus amigas, se *patrasió* y decidió que de repente se dejaría salvar por un hombre. Y es así como seguimos sintiéndonos atraídas a hombres distantes, problemáticos, irritables y rechazamos a los hombres "buenos" por considerarlos aburridos.

Es un hecho. No es posible rehabilitar gamines. Lo hemos intentado y hemos fracasado tan categóricamente como cuando a los gringos

---

32 *Consejos viscerales para casos reales* es nuestro libro digital. Antecedió a este. Allí resolvemos casos de nuestras usuarias con honestidad y uno que otro llamado a la cordura. Una de las secciones del libro se llama "rehabilitando gamines".

les dio por invadir la bahía de Cochinos[33] o cuando echaron a los franceses del norte de Vietnam[34].

Entonces, si el gamín no cambia por voluntad propia, ¿cómo vamos a pretender cambiarlo nosotras? ¿A punta de qué? ¿Cariño, comprensión, atención y polvos constantes? Si ya sabemos que rehabilitar gamín es una batalla perdida, ¿por qué nos obsesionamos con esto, en vez de abrir el panorama y mirar hacia donde de verdad el pasto es más verde? ¿Problemas de autoestima? ¿Inseguridad? *¿Daddy issues?* ¿Por qué nos negamos la posibilidad de pararle bolas al tipo que de verdad es "un man de bien"? Ese que está al lado suyo almorzando, ese que no ha tenido veinte novias "oficiales", ni tiene el celular lleno de teléfonos de viejas con nombres sin apellidos.

> No... negra, no dejes que se acabe esto.
> Yo... voy a cambiar esto, te lo prometo.
> Voy a cambiar por ti.
> Porque te quiero, porque te quiero[35].

¡Cacca di toro castrato!

4. MUJER QUE NO JODE ES HOMBRE

—No me gusta que llegues borracho todos los viernes— le dijo Amalia a su esposo. —Ya estás jodiéndome, ¿qué tiene de malo que salga a divertirme con mis amigos? —respondió él, envalentonado.

—Pero es que el sábado te levantas muy tarde y no nos alcanza el día para nada, y después de toda la semana trabajando, deberíamos pasar el fin de semana juntos, ¿no?

—Ya estás jodiendo, mujer.

—Por favor, recoge tus medias, hay como cuatro pares enrollados debajo de la cama —le pidió Antonia a su novio, con el que vive hace un año.

—Luego —respondió él.

---

33   Invasión de bahía de Cochinos, 1961.

34   Batalla de Dien Bien Phu, 1954.

35   "Voy a cambiar por ti", Otto Serge.

—¿Pero cuándo es luego? Pásamelas ya porque voy a echar ropa a la lavadora.

—Tú sí jodes, si tienes tanto afán recógelas tú.

—¿Para qué te llama Paola un viernes en la noche? —le reclamó Diana a su novio.

—A nada especial.

—¿Ella sabe que estás conmigo?

—Claro —respondió él malhumorado.

—¿Pero entonces no crees que es un poco irrespetuoso que te haga llamadas a las once de la noche?

—¿Cuál es tu problema? ¿Estás regluda? Avísame si te vas a volver una loca celosa, porque conmigo eso no funciona.

"Loca", "cansona" y "regluda" son tres de los adjetivos más comúnmente usados por los neandertales *en contra* de las mujeres. De hecho, "las mujeres son locas y cansonas" ha sido uno de los mitos mejor posicionados por los hombres para controlar a las que todavía se atreven a quejarse o a reclamar algo.

Parte de los resultados de esta efectiva campaña de mercadeo es que algunas prefieren "no molestar" para tener a sus machos felices. Si el esposo llega borracho todos los fines de semana, pues es su forma de liberar tensión; si no mueve un dedo en la casa, se corta las uñas en la cama y no levanta la tapa del inodoro, pues acostumbrémonos porque no va a cambiar y mejor no molestarlo; y si una loba lo llama en la noche, pues al menos yo soy la oficial.

Algunas nos hemos pasado la vida esforzándonos por ser *cool* en todos los sentidos de nuestra vida: voy a estudiar una carrera "diferente", voy a viajar "diferente", me niego a celebrar los quince o hacer un matrimonio de esos que salen reseñados en las revistas de farándula. Este esquema también lo hemos aplicado a las relaciones: yo no muestro el hambre, yo no soy intensa, yo le doy su espacio, yo no jodo, yo no me "envideo". Celos nunca, antes muerta que celosa. Él allá y yo acá. En algún momento nos encontraremos, pero siempre, siempre, con mucho tacto, cuidado y cautela. Nada de dramas. Todo eso está bien, hasta cuando caemos en cuenta de que por dárnoslas de *cool* terminamos siendo unas *coolas* incapaces de pedir y de exigir.

No es cierto que mujer que no jode es hombre. Todos tenemos derecho a quejarnos y decir qué no nos gusta, y lo que menos esperamos de nuestro interlocutor es que le preste atención a nuestras demandas e invierta al menos unos minutos tratando de entender si tienen sentido o no.

5. PERO SI ESTÁ EN LA BIBLIA...

No lo decimos nosotras, lo dijo Kant:

> El sacerdote [dice]: ¡No razones, ten fe!
> (...) la minoría de edad en cuestiones religiosas es, entre todas, la más perjudicial y humillante[36].

Para Kant la minoría de edad es ese estado del que no se sale por pereza y cobardía, por pensar lo que otros le dicen al menor de edad que piense y que crea. Y aquí estamos nosotros, recurriendo —ignorantemente algunos, inteligentemente otros— a lo que dice un libro escrito hace muchos años, y cuyos capítulos (o libros) fueron escogidos cuidadosamente por Constantino y su gente, para decirnos qué creer y qué pensar.

Eso sí, antes de que nos acusen de ateas, nos digan que nos vamos a quemar en el infierno, y nos insulten por nuestras redes sociales, recuerden que la religión fue creada por hombres, que la Biblia fue escrita por hombres y que quienes decidieron en qué creíamos fueron hombres. Religión no es lo mismo que Dios. Religión es lo que hemos hecho de éste, con abusos, verdades acomodadas y los intereses de hombres de por medio. De hombres masculinos. Por ello la Biblia y la religión son la casa del machismo, en la que habitan ideas como éstas, que no pocas veces son citadas por los retardatarios:

EVA SALIÓ DE UNA COSTILLA

Este es el primer cuento machista de la historia. ¿De qué otra forma se explicaría que mientras Adán fue creado a partir de algo tan

---

36   Kant, Immanuel, *¿Qué es la ilustración?*, 1784.

bello y profundo como un soplo, nosotros salimos de una costilla? Eso tuvo que habérselo inventado alguien que odiaba a la mamá. ¿Si el todopoderoso es tan poderoso, no pudo haberse echado otro soplo? ¿Por qué tenía que ser tan mezquino de hacernos salir de una parte anatómica del hombre? ¿No podíamos, acaso, tener vida propia? La metáfora de la costilla fue tan poderosa que nos jodió de por vida.

"Entonces, Adán exclamó: 'Esto sí es hueso de mis huesos, carne de mi carne! Será llamada 'mujer' porque del varón fue tomada"[37]. ¡Pequeño narciso! ¿Y si Eva hubiera sido hija de doña Yolanda, la de la cigarrería, hubiera sido muy poca cosa para elególatra de Adán y tal vez él nunca hubiera querido reproducirse? ¿Es que tenía que venir de él para ser digna?

Por cierto, ¿alguien se ha preguntado cómo aprendió Adán a copular si nunca vio películas porno cuando era adolescente? No nos comemos el cuento que uno es como un perrito y sabe cómo es la vuelta *del acto* desde su primera arrechera. La historia tiene muchos vacíos.

Y para cerrar el círculo de atrocidades, Eva fue la que pecó y la que hizo pecar al mojigato de Adán. "La mujer que me diste por compañera me dio del árbol, y comí"[38], dijo Adán. ¡Pobre pelotudo! Porque ojo, según la Biblia las mujeres somos malas y manipuladoras. Una suerte de Sorayas, la villana de María la del Barrio, en tiempos de la hoja de parra. Si no, vean a Dalila. Pobre Sansón, bujuju.

DIOS PROVEERÁ

¿Quién provee? El hombre o Dios. La mujer nunca. Si la mujer no tiene marido y es atea, pues según esto, está joche, porque ni el macho de carne y hueso, ni el macho invisible van a darle una mano si la necesita. Si nos remontásemos a tiempos prehistóricos, la vuelta sería algo así:

Al hombre le tocó "ser la cabeza del hogar y el macho proveedor" porque cuando éramos cavernícolas se le otorgó la fuerza bruta al género masculino que era lo que se necesitaba para derribar un ma-

---

37   Génesis 2:23.

38   Génesis 3:12.

mut y llevarlo a la cueva, para que luego las mujeres se encargaran de descuartizarlo para alimentar a la manada. Porque mientras los hombres salían de cacería solos, como lobos esteparios, pues las mujeres se quedaban chismeando en grupo esperando a que les trajeran la comida.

Y si el clan se quedaba por alguna razón sin hombres, pues sería esperar a que otro hombre, uno que nadie ha visto nunca, se manifestara para proveer al clan porque las mujeres no estaban en capacidad de coger una lanza y matar el mamut de la semana, o del mes. Por mucho, las mujeres podrían ir a recoger bayas para sobrevivir, mientras esperaban los aportes del hombre invisible. *Eso sí, reconocemos, la señora cavernícola necesitaba del macho cavernícola para reproducirse. Pero, tal vez, los inseguros hombres siempre han magnificado su papel clave en la procreación y por eso la cacareada fidelidad que se nos exige a nosotras las mujeres. Fin del hipervínculo.*

JESÚS ES VERBO NO SUSTANTIVO

Primero que todo, ¿por qué el Mesías, el salvador de la humanidad, tenía que ser hombre? Pues bueno, dado que el elegido es uno (1) —de lo contrario serían "los elegidos" y ya suena a novela de canal nacional— pues el líder supremo, el titiritero o como prefieran llamarlo, tenía que escoger entre un hombre y una mujer. Y obvio, el hombre ganó porque no salió de una costilla sino de un soplo divino. Pero ¿por qué tenía que estar rodeado de hombres y sólo una mujer, que no estaba a la par de todos, sino que —para subirle un nivel a la carga dramática de la historia— tenía que ser prostituta?

Jesús es verbo; María Magdalena, sustantivo. *Ricardo, ahí te botamos un nuevo verso para la segunda parte de tu canción.*

Para terminar: la Biblia es el libro más leído de la historia. ¿Lo venderán en las secciones de ficción o de no-ficción? ¿Quién recibe las regalías? Como en *About a Boy*, ¿habrá descendientes de Lucas, Mateo, Juan, Daniel y co-autores, que no han tenido que mover un dedo porque sus tatara-tatara-tatara-choznos se cranearon un gran libro lleno de arcos dramáticos, traición, amor, venganza, esperanza y clímax?

6. EL AMOR ES UN JUEGO DE ESTRATEGIA

Susana y Elvira @susanayelvira

Eh, ave María, si no es por una cosa es por otra. Que si yo hago fú usted hace fá. Qué cansancio.

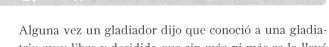

Alguna vez un gladiador dijo que conoció a una gladiatrix muy libre y decidida que sin más ni más se lo llevó a su tienda y se lo echó como si no hubiera un mañana. Los amigos gladiadores, muy fuertes y sudorosos, se burlaron de la hombría del lujurioso héroe al que acusaron de haberle fallado al principio de luchar a muerte por sus triunfos. Al pobre gladiador, que no se parecía ni en las orejas a Russell Crowe, lo mandaron al espoliario y nunca más se supo de él.

Desde aquel entonces, padres y juglares cuentan la historia para que los hombres del futuro no sigan los pasos del héroe caído en desgracia. Su nombre ya nadie lo recuerda.

De la gladiatrix, cuya existencia quedó atestiguada únicamente por evidencias arqueológicas y un bochornoso rótulo de "mujer fácil", poco se volvió a saber. Solo que las mujeres del futuro crecen con el miedo visceral de ganarse la misma fama que las acompañará como una suerte de letra escarlata. Porque ellas también crecieron con el retumbe arjoniano de "nunca lo fácil me duró tan poco".

Lo que nunca nadie le dijo al gladiador era que tal vez la gladiatrix no era "fácil", sino simplemente una mujer decidida y poderosa que podía decidir cuándo y a quién se echaba, y que él fue el afortunado poseedor del encanto viril.

A pesar de los intentos de esconder cualquier vestigio de la existencia de la gladiatrix y cualquier tipo de mujer que se le semejara a través de los siglos, poco a poco empezaron a salir a la luz mujeres como ella. "Aquí estamos y no hay nada de malo con nosotras". Como Sabrina, que descubrió que era una gladiatrix moderna después de pegarle tres patadas por el culo a Leo, su bueno para nada.

Pero con los siglos, miedos y prevenciones se han convertido en un juego entramado de estrategias que tanto hombres como mujeres aplican para nunca decir ni hacer nada de más, por miedo a ser mandados al espoliario.

Como el que no conoce la historia está condenado a repetirla, ponemos en palco de honor las estrategias aplicadas por siglos, para ver si de una vez por todas nos dejamos de pendejadas.

MÁS FÁCIL QUE LA TABLA DEL UNO

Comenzamos con las ya mencionadas "mujeres fáciles", esas que se lo dan a un tipo la primera noche, las que dicen de frente lo que quieren y buscan, las que toman la iniciativa, las que guardan un condón en su cartera. Ellas no se van por las ramas y no juegan el juego de "no lo llamo si él no llama". Tienen su propia estrategia. Son frenteras, seguras y tienen una autoestima de roble. Ellas juegan a riesgo sabiendo que pueden estar clavándose en una piscina sin agua. A veces ganan y a veces pierden, pero tienen claro que no tienen por qué cederle las riendas a los hombres.

NI TANTO QUE ALUMBRE AL SANTO...

Es aberrante creer que en una relación uno siempre debe ser el que quiera menos. Según esto, a uno lo deben querer, amar, idolatrar, convertirlo en el ser más magistral del universo *que-no-tiene-comparación-con-ningún-ser-humano-que-haya-nacido-jamás.* Y uno debe querer al otro de a poquitos, sin soltarle todo de una, maniobrando siempre con cautela y medición. Esto no es otra cosa que una maquiavélica necesidad de control sobre el otro. Y asumirlo como una verdad es casi tan estúpido como creer que no se puede confiar en un pelirrojo. *Porque por cierto, si yo debo ser la que quiere menos, ¿qué pasa si mi* one *juega el juego también? O sea, él también quiere ser el que quiere menos. El amor, entonces, se convertiría en un juego inmamable de tire y afloje eterno. Como cuando a uno le enseñan que para ganar en triqui uno debe arrancar por el centro o por las esquinas. A mí —Susana— me lo enseñó mi papá. Y él también se lo enseñó a mi hermano. Y nunca, nunca más pude volver a jugar con él. El juego estaba arruinado de por vida con mi contrincante favorito del juego de tablero. Fin del hipervínculo.*

Esta estrategia es tan tonta que debería considerarse ilegal. Un perro (el animal de cuatro patas), por ejemplo, no va a querer menos a su amo por miedo a que éste lo abandone. No. El perro lo querrá con todas sus células, sin límites. Y siempre sin falta, lo saludará y le batirá la cola con tanta emoción como si fuera la primera y última vez que lo vea en la vida. ¿Por qué nosotros no podemos ser así? ¿Por qué debemos dosificar el amor para que duela menos, todo por el temor a ser abandonados? ¿Por qué debemos retraernos para poder abandonar sin que nos duela tanto? ¿Por qué ser el que quiere menos sabiendo que en cualquier momento el amor se puede acabar?

En últimas, la realidad del asunto es que somos una partida de cobardes que se escudan detrás de la idea de que la guerra se gana con la cabeza y no con el corazón. Y eso, queridos moscorrofios, no es lo que William Wallace nos enseñó... aunque al final le cortan la cabeza.

EL QUE MUESTRA EL HAMBRE NO COME

Popó

de toro

Otra de esas estrategias tontas que nos han metido en la cabeza es la de que "el que muestra el hambre no come". ¡Popó de toro! Sí, tal vez haya actos desesperados en que el hambre nos haga comer gusanos y sopa de piedras como participante de *reality* de supervivencia.

Pero, ¿qué tiene de malo tener hambre? ¿Acaso uno va a ser menos valioso, valiente, amoroso, comprometido, inteligente, bondadoso, capaz o incluso buen parche, si muestra el hambre? ¿Acaso si uno muestra el hambre está condenado a comer gusanos, algas y arena? ¿Y sólo si se priva puede comer langosta? ¿Y qué pasa si por privarse esperando a que le sirvan la langosta, termina uno muriendo de inanición?

Tener hambre es un síntoma que nos recuerda que estamos vivos. Pero es importante tener en mente que el secreto siempre está en mantener el equilibrio y conocer nuestros límites, porque también debemos aceptar que el buen juicio se embolata con facilidad. Como un tweet que alguna vez publicamos, "herrar es de umanos"[39].

Jugar y ponerse máscaras en la vida real solo cansa y crea ruidos. Hace que una simple cita se parezca más a una entrevista de trabajo —con prueba psicotécnica incluida— y que cualquier relación se parezca más a un juego de póquer lleno de *bluffs* y alcohol para soportar la presión, que a un tranquilo paseo en canoa.

Qué cansancio. ¿Por qué no pensar y vivir bajo el credo de que las cosas pueden simplemente fluir, sin estar calculando cada uno de los movimientos como si uno fuera Kasparov luchando por defender su título de mejor ajedrecista de todos los tiempos? Es que realmente tanta pensadera, tanta estrategia, agota.

Esta idea de que "el amor es un juego de estrategia" es en parte responsable de que no vivamos en un mundo *hippie* tolerante que se mueve con fluidez, sino que vivamos, en uno que parece más una partida de Risk que una caída libre de una montaña rusa. O en la Nueva York que pintan Michael Bay y todos esos directores que hacen explotar edificios, y muestran un futuro miserable por el que ya pasaron los jinetes del Apocalipsis.

Es que las estrategias en el amor debieron haberse quedado con los miserables amigos del gladiador, quienes vivieron su vida aplicando fórmulas matemáticas para echarse a las amigas de la gladiatrix, cuando ellas sólo los estaban "marraneando".

---

39 Twitter @susanayelvira

7. EL SEXO ES PECAMINOSO

EL CUERPO COMO PECADO

Alguna vez oímos a alguien comparar a una mujer en minifalda con un pedazo de carne en una ventana. Si dejamos a la mujer/carne allí, al alcance, es inevitable que los hombres/gatos se la coman. Para unas cosas los hombres son animales sin mayores atributos, y para otras son los reyes del universo con inteligencia más avanzada que la de cualquier mujer. Muy conveniente.

Desde siempre hemos oído que el cuerpo femenino es impuro y solo trae lascivia y pecado. Si no pregúntenle a un wahabi que obliga a las mujeres a cubrirse de pies a cabeza para que no le den ganas de violarlas. O a un católico clásico de esos que ignoran —voluntaria o involuntariamente— que su santísimo Papa Juan Pablo II derrumbó el mito sobre el pecado del cuerpo en los ochenta. Dado que las normas sociales y/o religiosas eran (y son, en su mayoría) hechas por hombres, prefirieron hacer que las mujeres se taparan y encerraran para no generar los malos pensamientos de hombres incapaces de controlarse a sí mismos.

No hemos avanzado lo suficiente, pues persisten ideas tan locas y retardatarias como que nosotras somos las culpables de que nos violen por usar ropa "atrevida". La provocación es un asunto subjetivo, y usualmente los violadores, o violadores en potencia, tienen un estándar bien bajo para determinar cuando una mujer es provocadora. Caminar en la calle a veces es suficiente.

En una sociedad decente nosotras deberíamos poder ir a hacer mercado en bikini y nadie podría decirnos una sola palabra, ni mirarnos, ni tocarnos, ni violarnos. Pero aquí preferimos "matar al mensajero"[40]

[40] "Esta expresión se remonta a la antigüedad, cuando quienes llevaban malas noticias a los poderosos eran víctimas de torturas y hasta corrían el riesgo de perder la vida. En la Edad Media se acostumbraba a azotar al mensajero portador de malas noticias, pero ya no lo mataban. En ocasiones en las guerras enviaban a un emisario al campamento enemigo; y en caso de que el combatiente recibiera malas noticias, se le facilitaba más desfogar su ira contra él como mensajero que contra la persona responsable de las noticias negativas. Por extensión, en la actualidad se considera una frase hecha para referirse a la indisposición que causa alguien que da malas noticias o que habla de lo que no es cierto", Gloria Duarte,

o "vender el sofá"[41], que enseñarles a los hombres que no son animalitos y que tienen la capacidad de controlarse a sí mismos y sus impulsos. ¿O qué tal la estupidez de crear buses exclusivos para las mujeres, luego de que un hombre se masturbara al frente de una mujer en Transmilenio? Señores que hacen las reglas: ¿en qué mundo es más fácil crear rutas y destinar buses solo para las mujeres que hacer una campaña para decirle a los hombres que deben aprender a vivir en sociedad, que solo pueden tocarse en su casa, y que el abuso está mal y que por ello es un delito?

¿Y qué tal eso del *walk of shame* (la caminata de la vergüenza)? No hay nada de deshonroso en salir de la casa de un galán a la mañana siguiente después de una noche de pasión. ¡Que se avergüencen los que no tienen sexo!

En lo que sí estamos bien como sociedad, creemos, es en la aproximación valiente que hemos hecho a las pastillas anticonceptivas. Tenemos amigas del trabajo en la primera mitad de sus veinte que sacan la pastilla y se la toman al final del almuerzo como gritándole al mundo: "Sí, tengo que tomar pastillas porque tengo toneladas de sexo, *in your faces, losers!*".

NO HAY NADA DE DESHONROSO EN SALIR DE LA CASA DE UN GALÁN A LA MAÑANA SIGUIENTE DESPUÉS DE UNA NOCHE DE PASIÓN.

---

investigadora del Instituto Caro y Cuervo.

41 La expresión "vender el sofá" tuvo su origen en 1906, en el cómic chileno *Otto y Fritz* protagonizado por dos personajes alemanes, Otto y Fritz. El cómic era una burla a los inmigrantes alemanes y su visión del mundo y alude a las formas simples en que estas personas solucionaban algunos problemas. En "El sillón de Don Otto", Fritz le dice a Don Otto que su mujer lo engaña con Frederick y que los ha visto haciendo el amor en el sillón. Don Otto decide que no aceptará esta situación y le dará una solución drástica. Pocos días después, se vuelven a encontrar los dos amigos y Fritz le pregunta a Don Otto qué ha hecho para resolver el problema. Don Otto, muy ufano, le dice que ha resuelto el problema para siempre. ¿Y cómo lo has hecho?, le pregunta Fritz. Don Otto le dice: "Muy simple, vendí el sillón".

Susana y Elvira @susanayelvira

Del putas, creamos asientos exclusivos para mujeres en los buses en lugar de enseñarles a los hombres que, por ejemplo, el acoso está mal.

LA ESTUPIDEZ DE LA REGLA

Triunfo de la naturaleza: tener un intestino delgado que conecte con el grueso y que entre ambos escojan qué de lo que comemos es nutriente y qué desecho.

Fracaso de la naturaleza: la regla

De unos 400 procesos ovulatorios que tiene una mujer colombiana promedio a lo largo de su vida, estos se convierten en apenas 2.1 hijos[42]. El resto, en molestas, dolorosas e inútiles menstruaciones. Es estúpido.

Nosotras sufra que sufra cada mes con óvulos infecundos. Harto cólico, harta bolsa de agua caliente, harto ibuprofeno, mes a mes. En cambio los hombres, que también tienen un montón de desechos que podrían traducirse en vidas humanas, para ellos esas pérdidas son placenteras. Vida pa' perra. Fin del hipervínculo.

Y más estúpidos son los mitos que la han rodeado. En la Edad Media la dirigencia católica le prohibió a las mujeres ir a la iglesia cuando estuvieran menstruando. Y aún hoy se dice que luego de la menarquia una niña se convierte en mujer, pues ya puede concebir.

---

42 Asociación Probienestar de la Familia Colombiana, Profamilia. Encuesta Nacional de Demografía y Salud, Ends: Profamilia, 2010.

Como si no estuviéramos fregados porque, en 2012, 6.545 niñas en Colombia[43] se comieron el cuento y fueron mamás, en lugar de estar —simplemente— enamoradas perdidamente de un imposible, pero sin perder la esperanza de que algún día podrían llegar a ser correspondidas por Harry Styles —si, como "estilos"— o Justin Bieber. *Como nosotras en los noventa cuando suspirábamos y nos montábamos películas al frente de los afiches de Dylan McKay o Brandon Walsh.* La menarquia no hace candidata a madre a nadie; la responsabilidad y el juicio sí, y eso no viene con la primera regla.

DARLO POR UN CALADO

Reprimir las ganas de hacer y decir lo que se nos viene en gana es una idiotez. Tirar o no tirar debería ser un asunto de simple voluntad, y no un análisis físico-químico-cuántico-social de "¿qué dirá?", "¿cómo me tomará?", "¿qué pensará?", "¿qué les dirá a los amigos?," "¿después de cuántas citas?"

La mejor forma que encontraron las mentes superiores de controlar a las masas fue la religión, y con ésta la represión sexual. Decirnos cómo y cuándo tirar fue una de las formas más efectivas de decirnos "somos los dueños de tu cuerpo y de tu mente". Ya luego la sociedad se encargaría de empoderar a mujeres chismosas y envidiosas para frenar a las mujeres dueñas de su cuerpo con etiquetas tan despreciables como "perra".

Yo, Susana, en algún momento de mi vida quise darlo por un calado. Pero fueron los mismos prejuicios los que sirvieron más que cualquier cinturón de castidad. Hoy no me arrepiento, pues porque aún así, luego de mi adolescencia pude hacer lo que se me vino en gana, esta vez de una manera más informada y autosuficiente, lo que tal vez me ahorró pesares y preocupaciones. Pero hoy me gustaría que la historia fuera otra y que el autocontrol no haya sido por la represión impuesta por mi entorno, sino por mi propia voluntad.

---

43   Departamento Nacional de Estadística, DANE. Nacimientos en 2012 población entre los 10 y 14 años: DANE, 2012.

LA VIRGINIDAD

> La vida de las vírgenes es bella como la vida de los ángeles; es la inocencia primitiva y la ignorancia del pecado; la vida de las vírgenes es sublime como la vida de Dios, es la carne que se rebaja y el espíritu que se glorifica; la vida de las vírgenes es deseable como puede ser deseable Dios mismo, es el abandono de la tierra y el comienzo del cielo. –Jean-Ennemond Dufieux.

Seguro la fascinación sobre la virginidad tiene algo que ver con el cuentazo que nos metieron sobre la virginidad de María. ¿O la historia de su embarazo por cuenta de la obra y gracia del Espíritu Santo fue producto de una ya existente fijación sobre la virginidad en tiempos de María? El caso es que la "pureza de la carne" de las jóvenes incautas ha permanecido en el imaginario de los religiosos y no religiosos del mundo. Échense una pasada por YouPorn y busquen videos centrados en "defloraciones" y cosas por el estilo. O no más lean la historia de Ángela Vicario, a la que devolvieron en su noche de bodas por haberle dado su flor a Santiago Nasar. El gustico le costó la muerte al pobre Santiago en *Crónica de una muerte anunciada*, pues quitarle el honor a Ángela la condenó porque ¿qué hombre la querría sin flor?

Afortunadamente la época en la que devolvían mujeres sin flor ya pasó —por lo menos en este lado del mundo— y hoy la virginidad tiene el lugar que se merece, al estar relegada a una esfera personal, en la que cada mujer decide cuándo tira y cuándo no. Ni el más neandertal tendría eco si dice que solo quiere estar con vírgenes, o que la mujer con la que se va a casar tiene que ser virgen, aunque él no lo sea.

Pero el mito de la virginidad tenía que estar aquí, porque un capítulo sobre el pecado de la carne no estaría completo sin "punticas" o "pruebitas de amor".

EL SEXO ES ENTRE IGUALES

Todavía tratamos al sexo con estándares diferentes para hombres y para mujeres. Mientras que para los hombres el sexo es inherente, y es absolutamente natural que sea éste el que guíe muchas de sus acciones, nosotras todavía debemos separarlo de nuestro ser social. Todavía nos debatimos entre ser mujer-madre y mujer-puta; además de ser mujer-hija, mujer-profesional, mujer-amiga. Además, a las mujeres que nos gusta el sexo y somos lo suficientemente valientes para decirlo en público nos sucede que cruzamos de inmediato la línea hacia un lugar lleno de etiquetas y adjetivos deshonrosos.

Veamos no más a Monica Lewinsky. Mientras Bill Clinton terminó su mandato y hoy sigue siendo uno de los hombres más influyentes del mundo con serias posibilidades de convertirse en el "primer caballero" de Estados Unidos, Monica Lewinsky sufrió la inclemencia de una horda furiosa con antorchas que quiso quemarla viva. Ella fue la que tuvo que asumir las consecuencias del escándalo ¿por haberse metido con un hombre casado?, ¿por haberlo hecho público?, ¿por poner a hablar a una sociedad mojigata sobre infidelidad y sexo con tabacos?, ¿por ser mujer? No lo sabemos.

El caso es que a los veinticuatro años Lewinsky era una practicante en la Casa Blanca y después de eso pudo haber tenido una importante carrera[44]. Pero ¡oh por Dios, le practicó sexo oral al presidente de los Estados Unidos! ¡*Shame on her*! De lo que ya no se habla es que él aceptó —o que lo incitó— y aparentemente estuvo feliz esos dieciocho meses que duró la relación. Pero fue Lewinsky la que cargó con la etiqueta y la historia[45]. Maureen Dowd, columnista estadounidense, ganó un Pulitzer por una columna en el *New York Times* en la que la señalaba de "agresiva" (en el sentido angloparlante de la palabra, en la que se refiere a alguien que no se da por vencido, va por su cometido) e "implacable", pues, entre otras cosas, "logró evadir las numerosas capas que la separaban del presidente" para meterse en el despacho oval y hacer lo que hizo. Al final, Monica Lewinsky, mujer de veinticuatro años y soltera, fue culpable de haber sostenido una relación con el presidente casado de los Estados Unidos, que para la fecha tenía todo el poder del mundo y cincuenta y dos años, veintiocho más que ella.

---

44   A nuestro juicio, una línea de carteras, un *reality*, una participación en una biografía sobre ella, numerosas entrevistas de trabajo fallidas y otras participaciones en televisión no son nada a lo que ella hubiera podido acceder luego de dejar su práctica en la Casa Blanca libre de escándalos.

45   No vamos a juzgar si ella se "obsesionó con el presidente", si hizo pública la relación por ambición o lo que sea que digan. Nos basamos en los hechos y eso fue lo que pasó.

8. EL SEXO ES NUESTRO MEJOR RECURSO

Roy F. Baumeister, del departamento de Psicología de la Universidad de Florida y Kathleen D. Vohs, del departamento de Comercio y Mercadeo de la Universidad de British Columbia escribieron en 2004 un paper titulado "Economía sexual: el sexo como un recurso femenino para el intercambio social en las interacciones heterosexuales", en el que se apoya en la "teoría del intercambio social" (que señala que cada parte en una interacción da algo y obtiene algo a cambio) para explicar cómo se dan las relaciones sexuales entre hombres y mujeres. Los autores aseguran que (lo citamos textualmente, en una traducción nuestra, porque no queremos perder detalle de esta perla):

> El sexo es un recurso de las mujeres. Puesto de otra forma, los sistemas culturales suelen dotar de valor a la sexualidad femenina, mientras que la sexualidad masculina carece de valor. Como resultado, las relaciones sexuales por sí mismas no son un intercambio equitativo, sino un momento en el que el hombre obtiene algo valioso de la mujer. Para hacer el intercambio equitativo, el hombre debe dar algo en contraprestación —pero su participación en el acto sexual no tiene un valor similar para constituirse como contraprestación—. Lo que le dé en términos de recursos no sexuales dependerá del precio (por decirlo de alguna forma) fijado por la cultura local y por el valor de sus características sexuales. Es por ello que el sexo ocurre en un contexto en el cual el hombre le da a la mujer regalos, consideración y respeto, y el compromiso que ella espera, u otros bienes[46].

El paper fue publicado en 2004 y ha recibido muchas críticas, como era de esperarse. Es que parece escrito en el siglo XVI por un sacerdote con rezagos oscurantistas, en el que el sexo para las mujeres es como una flor, como el arca perdida que solo Indiana Jones puede poseer después de una gran travesía —y que como el contenido del Arca, le dará poder absoluto—. O como una botella de vino que uno lleva a una comida a la que ha sido invitado. El sexo, según esta

---

46 *Baumeister, Roy F and Vohs, Kathleen D.* "Sexual Economics: Sex as Female Resource for Social Exchange in Heterosexual Interactions". 8 (2004): 339-63. Web.

lectura, es una ofrenda. ¿Recuerdan la historia de Abraham e Isaac? Algo así, pero sin sacrificios de por medio.

¿Qué pasa entonces cuando el sexo para las mujeres es simplemente diversión? ¿Cómo funciona la ecuación cuando hay equilibrio en el valor que ambas partes le dan al sexo? ¿Qué pasa cuando la mujer está buscando, simplemente, "parcharla" y no matrimonio? Los autores reconocieron esas variables, además de las del deseo sexual masculino contra el femenino, la subyugación de la mujer y las diferencias en los contextos culturales. Aún así, pensar que el sexo es lo único que tenemos para intercambiar por matrimonio es estúpido. Aunque muchas se comporten así.

Pero volviendo al sexo, creemos que fue diseñado por un misógino: es el hombre el que entra en la mujer, "la posee" y no siempre sutilmente; la mujer es la que debe afrontar las consecuencias eventuales del sexo (Freud, quien decía que las mujeres somos hombres sin pene, decía que para los hombres el polvo termina en el orgasmo, mientras que a nosotras nos puede durar toda la vida si quedamos embarazadas). Este misógino también se encargó de desprestigiar a las mujeres que les gusta tirar tanto como a los hombres.

El reloj biológico fue creado por un loco psicópata peor. Porque parte de los argumentos de Baumeister y Vohs para sustentar su teoría del intercambio, es que hay variables que pueden aplicarse en las mujeres en el mercado y que bien podrían ser comparables con las características de un carro último modelo: entre más vieja la mujer, menor es el valor que obtiene a cambio de sexo porque entre otras razones tendrá más afán de casarse si se acerca a los treinta y sus chances de ser mamá se ven reducidos. Los hombres, en cambio, pueden ser papás hasta más allá de los sesenta, por lo que ese afán no hace parte de sus variables. El valor de las mujeres también se ve reducido si es fea o promiscua, dicen los autores.

Por lo dicho, esta teoría parece sacada de un tratado misógino escrito por un maniático. Pero igual ahondamos en ella porque de una forma u otra es un sustento académico a lo que pasa en la realidad y la forma arcaica como el sexo sigue siendo percibido por nosotras mismas.

MALOS NEGOCIOS

¿Recuerdan el anuncio en Craigslist de una joven que buscaba marido rico, por lo que proponía un negocio en el que intercambiaría su belleza y juventud por una estabilidad económica provista por un hombre?

Este es el resumen: la joven, que firmaba como *Mrs. Pretty*, escribió en un anuncio en el sitio de clasificados:

> Soy una chica bonita (espectacularmente bonita) de 25 años. Me expreso bien y tengo clase. No soy de Nueva York. Estoy buscando casarme con un hombre que gane al menos medio millón de dólares al año. Yo sé cómo suena, pero tengan en mente que un millón al año es clase media en Nueva York, por lo que creo que no estoy siendo demasiado ambiciosa.

Ella recibió una respuesta sobre su propuesta por parte de un banquero de JP Morgan que le decía que desde el punto de vista de un inversor, su propuesta era pésima, porque aunque proponía un intercambio aparentemente "justo" entre belleza y plata, esta relación era completamente inequitativa, *ergo*, su propuesta era algo así como un paquete chileno.

El problema lo resumió el banquero de una manera muy didáctica. Parafraseamos:

> Si usted, señorita linda, me está ofreciendo su belleza a cambio de mi dinero, vamos en contravía. Porque usted se va a envejecer, así que su belleza se irá y será un bien en depreciación, pero lo más probable es que mis ingresos se incrementen anualmente. Usted no va a ser más bonita con el paso del tiempo, pero yo sí seré más rico. Siendo así, su ofrecimiento no puede ser una "compra" sino que debería ser más bien un "alquiler". En conclusión, deje de buscar cómo encontrar un marido rico que la mantenga, y más bien trabaje para que usted logre tener ingresos más altos y así sus chances de encontrar un tonto rico incrementen.

A esta situación podemos llamarla "la falacia de la mujer que tasa su valor en su belleza y el sexo". O "el tiro por la culata". Por más bonita que sea una mujer, no podrá mantener su belleza y juventud a punta de cirugías plásticas y botox. Recuerden el caso —que al parecer fue un *hoax* de Internet— del chino que demandó a su esposa por engaño después de que el tipo casi se infartara al ver que su primogénito era más feo que un codo. Porque el tipo no podía entender cómo pudo haber nacido semejante engendro de una mujer tan bella como su esposa y de él, que seguramente era más bien promedio. Es que el tipo nunca supo que su bella esposa se había hecho un montón de cirugías plásticas para pasar de la Fiona Shrek a la Fiona princesa. La justicia —real o imaginaria— falló a favor del engañado esposo.

¿Moraleja? Si alguien por ahí está buscando conseguir un marido rico, que además sea inteligente, propóngale un negocio atractivo que no se base en un simple intercambio de belleza y sexo por bienes materiales y comodidades. La belleza se deprecia fácilmente, mientras que la inteligencia y la gracia crecen y crecen como la cuenta bancaria de Tony Stark en la guerra del Golfo. El sexo no es un recurso, es un valor agregado.

LA MANIFESTACIÓN DE LOS CALZONES ARRIBA

Champions League. Real Madrid vs. Bayern de Munich. Gana Real Madrid, Vitto se va de celebración con su manada, porque lo de ellos es el fútbol "de verdad", el europeo. Nada de celebrar los triunfos del Junior o de La Equidad. Vitto, Leo, Boris y Mendoza se meten una rumba sobrenatural, cada uno se baja —por lo menos— una botella y media de guaro y 37 cajetillas de Marlboro rojo. De milagro no quedan ciegos y logran llegar a sus casas muy a las cuatro de la mañana.

Mendoza se cae tres veces antes de llegar al cuarto donde Pamela se hace la dormida, aunque está ardiendo en furia porque se percata del estado de borrachera en el que llega Mendoza. Ella sabe que cualquier reclamo que haga en ese momento será una batalla perdida. Por la tarde tienen el cumpleaños de su sobrino y Pamela sabe que

Mendoza va a terminar no yendo y ella tendrá que inventarse mil cosas para excusar su ausencia frente a su familia. "No, es que amaneció maluco". "No, es que le tocó trabajar hoy". "No, es que el papá le pidió un favor enorme de última hora".

Pamela regresa del almuerzo de su sobrino y ve a Mendoza tirado en la cama como un desecho humano. Cortinas abajo, puerta cerrada, cajas de domicilio, hedor insoportable. Pamela abre las ventanas para airear ese cuarto que huele a muerto y le lanza una mirada fulminante a Mendoza haciéndole entender que se metió en la grande. Y que se vaya olvidando de la final de la Champions.

Pasan los días y Pamela es más fría que Elsa la de Frozen. Mendoza hace varios intentos para que Pamela se conmueva, lo perdone y se echen una revolcadita. Nada que un buen polvo no pueda solucionar, o eso cree. Pero todos sus intentos son fallidos. Las puertas de la muralla están cerradas indefinidamente. Le pide perdón mil veces y le jura y recontrajura que eso nunca más se repetirá. Que la final la verá en la casa, solo.

Desesperado, Mendoza le lleva flores, chocolates, serenata y le escribe cartas de amor. El pobre Mendoza ya no sabe qué más hacer ante la indiferencia de Pamela. Está flaco, ojeroso y no le contesta las llamadas ni los mensajes a Vitto. Lleva semanas bajo el yugo de la opresión y la helada ley del "no sexo". Pamela lo ve abatido, rendido a sus pies y sabe que le puede pedir lo que sea y éste se lo dará tan pronto las puertas de la muralla se abran nuevamente. Pamela gana. El control es suyo.

Muchas mujeres han utilizado la privación del sexo como una herramienta de poder, control y protesta. Por ejemplo, en 2011, un grupo de 280 mujeres nariñenses decidieron cruzar las piernas para exigir la pavimentación de una carretera. Después de tres meses de "cortarle el chorro" a sus maridos, las mujeres triunfaron y el Ministerio de Transporte aprobó el proyecto. Hombres arrechos 0 - Mujeres cansadas de la ineficiencia estatal 1.

Y en Grecia Antigua Lisístrata convenció a un grupo de mujeres para que dejaran de dárselo a sus maridos para así poner fin a la Guerra del Peloponeso; en Liberia, Leymah Gbowee lideró una protesta pacífica que incluía una huelga sexual que llevó a conseguir la paz en ese país; en Kenia, las esposas del presidente y del primer ministro utilizaron la estrategia de "no sexo" para forzar a los rivales políticos a llegar a acuerdos. Incluso le pagaron a prostitutas para que le cerraran "el chuzo" a los políticos.

Ejemplos como estos hay muchos: en México, Turquía, Bélgica, Filipinas, Togo... La política del "no te lo voy a dar" ha dado resultados para acciones políticas y sociales. Y mucho le ha servido a mujeres que no tienen intenciones políticas como la pavimentación de una carretera o la formación de nuevos gobiernos, sino que buscan demostrar su inconformidad a niveles mucho más íntimos: "Estoy brava con Pepito. Se lo voy a dejar de dar". La técnica funciona, en el cuarto y en el Congreso. Porque, supuestamente, las mujeres podemos llegar a ser camellos que podemos vivir sin sexo, pero los hombres no.

Pero las cosas no deberían ser así. El sexo no es, ni debe ser nuestro mejor recurso. Si vamos a limitar nuestro poder a una zona anatómica de nuestro cuerpo, ¿por qué dejárselo exclusivamente a esa zona media en vez de atribuírsela a lo que está más arriba? ¿A nuestra cabeza, tal vez? ¿Acaso no tenemos otro mecanismo de coerción?

Puede ser cierto que cuando uno está furioso lo que menos quiere hacer es tirar, y que sería estúpido no buscar la debilidad del enemigo para vencerlo. Cero estratégico. Pero con la estrategia de los calzones arriba ayudamos a la objetivización del sexo. Y si queremos una batalla justa, busquemos agarrarnos por donde tengamos igualdad de condiciones.

Porque si usamos al sexo como un bien que tiene un precio en el mercado, no es extraño que nosotras mismas nos hayamos convertido en objetos de intercambio: "mi cuerpo/mi sexo por algo que quiero".

9. ESTÁ BIEN SER UN OBJETO SEXUAL

Quiero ser Representante a la Cámara... voy a mostrar las tetas.
Quiero que mi libro se venda... voy a mostrar las tetas.
Quiero ser presentadora de televisión... voy a mostrar las tetas.
Quiero casarme con un rico... voy a mostrar las tetas.
Quiero parecer un espíritu libre... voy a mostrar las tetas.
Quiero llamar la atención... voy a mostrar las tetas.

(No, no es un *reggaetón*)

Aún a pesar de la revolución feminista con la que hemos logrado —casi— las mismas condiciones laborales que los hombres, y acceso libre a la educación, no hemos podido entender que somos más que dos tetas, un culo, una vagina y un par de piernas que sostienen todo eso.

A pesar de lo normales que son las tetas, hay tetas por doquier. Pezones de todos los tamaños y colores adornan televisores, páginas de revistas y vitrinas de droguerías de barrio. De hecho las tetas, sobre todo, son un negocio tan lucrativo que canales de televisión, sitios web y revistas mensuales solo para hombres empelotan a cuanta vieja se deja empelotar, y publican una que otra crónica de periodismo de inmersión para darle "profundidad". Y está Hugh Hefner, que es un género *per se*.

Muchas veces nos hemos preguntado si los hombres no se cansan de ver tetas. Y la respuesta es siempre "no, de lo contrario no habría pezones en cada revista y paja masculina", e inmediatamente nos sentimos como unas mojigatas de colegio de monjas haciendo preguntas obvias con un sesgo moralista.

Porque si hay inundación de tetas es por hombres y mujeres consumidores, y por mujeres dispuestas a ser objetos del deseo. No se trata de hombres malos que vuelven a las mujeres objetos de placer y deseo. No es que *ay, pobre Pamela Anderson, tan explotada y millonaria; o pobre Amparo Grisales, que ha tenido que mostrar sus tetas con silicona y su escultural cuerpo para el placer de tantos cavernícolas.* No. En cada mercado hay un proveedor, un comprador y muchos intermediarios. Y el principio aplica en el mercado de las tetas y las vaginas.

Qué vaina que la palabra "vagina" se haya vuelto tan fea. Qué vaina que para que suene menos peor haya que meterle un par de asteriscos para que esa

va*ina se transforme en una vaina más verbalizable. Y qué vaina que sus sinó-
nimos sean igual de inmundos: chocha, chocho, concha, panocha, gallo... La
construcción fonética de la palabra vagina (y sus sinónimos) llaman a gestos
y énfasis de quien la pronuncia, quien usualmente es el mismo que dice "solo
la puntica, mamita", o "muévase más hacia abajo, relájese para que no duela
y el espéculo entre fácil". Pero estamos comprometidas con respetar el lengua-
je y vituperarlo lo menos posible, por lo que ¡vagina será! Además, porque no
podemos seguirle el juego a quien peyorativiza términos importantes para qui-
tarles su poder, como el senador costeño bien decente y progresista que dijo en
un debate hace no muchos años "las vaginas del Senado se llenaron de malos
pensamientos", seguramente para ridiculizar la pelea de sus dos colegas. Ade-
más porque al demonizar la palabra también demonizamos el órgano. Ahora
resulta que nos avergüenza tener una vagina. Fin del hipervínculo.

No podemos condenar mostrar las tetas por el simple hecho de mostrar las tetas, pues uno muestra lo que es suyo y porque ajá, es liberador. Yo, Susana, he tenido sueños en los que ando desnuda en su-
permercados y me siento absolutamente libre y feliz —*you're welcome*
Mr. Freud—. Lo que manda mensajes equivocados es la razón que me
lleva a hacerlo. Está mal si mi cuerpo o la provocación se convierte en
mercancía de intercambio, para lograr atención, un lugar en la Cámara
de Representantes, que mis compañeros de trabajo ahora me quieran
hacer favores o trabajen por mí, y lo que es peor, amor. Pero, insistimos, eso está en cada quien, porque ahora un fan de Amparo Grisales
vendrá a decirnos que qué pasa si es el trabajo de ella, que no podemos
juzgar el arte y el derecho al trabajo honrado. Y nosotros le diremos
"usted tiene toda la razón". No somos el Juez Demetrio[47] para estar impartiendo juicios. *Entonces, ¡vamos a empelotarnos en un supermercado para*
protestar porque no importan un tofu suficientemente firme!

Sabemos que las sociedades que respetan la desnudez están algunos años más adelante en tolerancia y respeto al otro que las que no.
Lo que no compartimos es que, como en la guerra, usemos el cuerpo
como instrumento, esta vez para llamar la atención o para hacer *state-*
ments vacíos. Porque en el fondo, lo que se hace es seguir convirtiendo
al cuerpo femenino en un objeto de morbo y de noticia.

---

47   El Juez Demetrio es un personaje que recién creamos, como el hijo santurrón
que el Juez Doom (*¿Quién engañó a Roger Rabbit?*) y nuestro procurador tendrían si
no estuvieran muy ocupados cazando librepensadores.

"¿PARA QUIÉN TE PUSISTE TAN BONITA?"

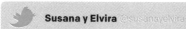

Susana y Elvira @susanayelvira

A ver subyugada, ¿cómo te hago entender que uno no "se pone bonita" para nadie? Si me engallo como pa' fiesta de quince es para mí y mi espejo.

"Ponerse bonita" es absolutamente subjetivo. Para algunas mujeres es un proceso complicadísimo e incluso doloroso que puede incluir fajas, tacones de diez centímetros, *push-ups*, *jeans* levantacola, capas de base, delineador, pestañina, sombras moradas y cirugías plásticas. Para otras, tatuajes, kilos de maquillaje, horas de plancha y tratamientos de queratina, pantalones de cuero o vestidos hipercortos y tal vez cirugías plásticas. Para otras, collares de perlas, aretes de oro, caras lavadas, la moda más reciente que dictan las pasarelas de Milán, Nueva York, Sao Paulo, Londres y París y días y días de hambre. Es que es bien cierto eso que dijo Margaret Wolfe Hungerford en el siglo XIX: *"Beauty is in the eye of the beholder"*[48].

Casi siempre esto de "ponerse bonito" se concentra en la necesidad de agradar al otro. Porque en teoría uno se pone bonito para alguien, pocas veces para uno mismo. O eso creemos, porque nadie nos enseña lo contrario. Sólo lo aprendemos cuando después de una crisis nos da por visitar al psiquiatra, psicoanalista, la terapista de ángeles, al cura o al que sea que nos sirva para meternos en un proceso de introspección curativo.

Para nada es un secreto el impacto que la apariencia física tiene —sobre todo— en las mujeres. Por eso existen tantas disociaciones morfológicas que hacen que el cerebro se frite cuando para algunos

---

48   *Molly Bawn*, 1878. Proverbio que se traduciría al español como "todo es según el cristal con que se mira".

la idea que tienen de su apariencia en la cabeza no cuadra con lo que ven en el espejo.

Hace poco un estudio publicado en el *Quaterly Journal of Experimental Psychology* reveló que aunque las mujeres dicen maquillarse para los hombres, estos últimos creen que las mujeres se maquillan de más. Es decir, nos arreglamos para ellos, pero ellos al final del engalle no nos ven más lindas, sino que les evocamos al archienemigo de Batman. Tal vez porque nos comimos el cuento de decenas de años de comerciales de maquillaje en el que nos dicen que la combinación sombra morada, delineador azul, pestañina verde, cachete rosado y colorete rojo se ve bien; y no nos detenemos a pensar que son los payasos los que hacen millonaria a la industria del maquillaje.

Nosotras, Susana y Elvira, creemos que, primero, la sombra morada va en contra de la naturaleza, pues no hay parte del cuerpo de ese color; segundo, que el maquillaje debe usarse para acentuar rasgos y esconder imperfecciones: pestañina del color de las pestañas, colorete del color de los labios y a veces en una gama ligeramente más alta, *blush* para acentuar los pómulos, pero nada, nada que nos haga pensar en Halloween al salir de la casa; tercero, que uno no se debe arreglar para alguien más, porque arrancó perdiendo: si uno se arregla es para uno verse mejor y por ende llenarse la cabeza de esa seguridad que nos hace más interesantes y asertivas, ya lo demás vendrá por asociación; y cuarto, que el mejor engalle es el que parece que llegó sin esfuerzo, aunque haya tomado horas.

Por muy romántico, idealista y tonto que pueda sonar para algunos, nosotras también creemos que existen hombres que piensan que el mejor momento del día para una mujer es cuando está recién levantada. Verdad para algunos, "vade retro" para otros.

10. SOMOS LO QUE "EL OTRO" NOS HACE

HEROÍNAS O VILLANAS. UNA DE LAS DOS

El rol de las mujeres ha sido definido por discursos patriarcales y abyectos que giran en torno a su virginidad, sus emociones y su rol de madre; en contraste con la virilidad, independencia, inteligencia y poder del hombre.

Las mujeres, entonces, somos víctimas de nuestras emociones, capaces de —incluso— asesinar al ser abandonadas por nuestros hombres, como Medea. Las mujeres perfectas son solo fruto de una idealización, como la de Don Quijote a Dulcinea; y si dentro de la historia han sido reales, es probable que hayan sido creadas por una mujer, como Elizabeth Bennet y que tengan uno que otro defecto. Y aún hoy se mantienen los estereotipos según los cuales las mujeres nos enceguecemos cuando anteponemos las emociones —lo cual supuestamente pasa el 90% de los casos—, odiamos fácil, lo hacemos todo por conseguir que alguien nos quiera. Mientras que los hombres protegen y buscan el éxito, las mujeres lloramos y buscamos el amor. Y lloramos más.

MEDIOS Y *ROLE MODELS*

Se dice que la historia ha sido escrita por los hombres. Y los medios están controlados por ellos también. Así las cosas, la historia continúa siendo —parcialmente— escrita por ellos.

La oferta de contenido en los medios es cada mayor y hay de todo: bueno, malo, pésimo, regular. Y se juega con la creación de estereotipos que apelen a esas audiencias para lograr identificación, gusto y consumo. Como bien lo dijo el presidente de la Academia de la Televisión de Estados Unidos, Bruce Rosenblum, en la entrega de los Emmy 2014, cuando paró a Sofía Vergara en una plataforma giratoria porque, claro, "sabemos qué le gusta a la gente".

Ya conocemos a las Marías las del Barrio, las Topacios y las Maricruces. Mujeres que lloran y sufren y al final encuentran a su galán que las saca de pobres y las hace felices por el resto de sus días. Pero si nos actualizamos un poco y dejamos atrás estas estrellas de la ficción ochentera, ¿con qué estereotipos femeninos están reemplazando a nuestras Topacios? Uno de ellos es, sin duda, con el de la latina buenota y escandalosa. No vamos a decir mentiras, hemos avanzado un montón. De Carrie Bradshaw en los noventa ya vamos en Hannah Horvarth, aunque falta alguien que se pare en la mitad, como lo decimos más adelante.

84 ←
85 →

LA JAULA DE LAS LOCAS

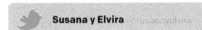 **Susana y Elvira** @susanayelvira

"Más loca paranoica y más eres tú". Eso dice un vallenato que estoy oyendo en este instante.

Piensen en los personajes que meten en los *realities*. No se sabe cuál es más loco, más vil y más culebrero que el otro. Es una fórmula: muestran carne y hacen escándalo. Mientras más pornomiseria se muestre, más vende. En teoría. Los *realities* son expertos en editar todo de manera que se muestre la humanidad más baja de los personajes que encierran en una casa o deciden perseguir con cámaras durante meses.

The Real Housewives, Next Top Model, Protagonistas de Nuestra Tele, The Bachelor, Tila Tequila, Jersey Shore, Hermanas Gitanas... Todos estos formatos han demostrado ser exitosos, de lo contrario no habrían sacado temporadas y temporadas, cambiando de personajes y de escenarios. Si un extraterrestre llegara en este instante y lo sentaran a ver por unas horas algunos de estos *shows*, probablemente saldría corriendo espantado a buscar nuevas galaxias y formas de vida. Porque este planeta, claramente, no necesita intervención externa para acabarlo.

Uno de los estereotipos que reina en estos formatos es el de la loca. La loca interesada, retrechera, traicionera, problemática, peleona, gritona, mostrona, guarichonga y completamente desequilibrada. No sabemos quién fue el genio maquiavélico detrás de esta lógica, que para pesar de la humanidad dio resultado: "¡Juntemos a un par de estas locas y tendremos horas y horas de entretenimiento! Juntemos a tres o más y esto es una bomba de diversión sin límites. Pero eso sí, que siempre tengan escote y tacones. Y estén bueeeeenas".

Vean no más un capítulo de *Jersey Shore* a ver cuántas rascas se meten, cuántas veces acaban en el piso y terminan con el vestido en el cuello por la borrachera, cuántos gritos se meten y cuántas mechoneadas hay que terminan con las extensiones arrancadas. O vean un capítulo de uno de esos *realities* que cogen un ex famoso venido a menos y lo encierran con veinte guarichas para que encuentre el amor de su vida. Porque no, en el mundo de los *realities* es inconcebible que dos mujeres puedan ser amigas y amables entre ellas y con el resto del mundo. En el mundo de los *realities* las mujeres somos enemigos naturales y muchas cosas más: histéricas, andamos con calor por lo que tenemos que andar ligeras de ropas, todas somos villanas, no hay buenos modales, ni valores inculcados por madres pudorosas.

HOLLYWOOD

Ahora vámonos a Hollywood, la meca de la mentira. Hollywood es un experto en meternos por los ojos ideales de mujeres, de cómo se deben ver y cómo deben actuar. Nos ha vendido la idea de que las mujeres deben ser divertidas, ingeniosas, inteligentes, exitosas, simpáticas, no pueden pesar más de cincuenta kilos, no pueden tener los dientes chuecos, ni celulitis, ni papada, ni tener *frizz* y deben ser capaces de perseguir corriendo a cualquiera en tacones puntilla de veinte centímetros de alto y atraparlo. Y para que la historia de una mujer tenga sentido y haga plata, debe involucrar sí o sí un enredo amoroso con un hombre. Las protagonistas, además, deben ser objetos sexuales que produzcan deseo en la audiencia masculina, y empatía y un poquito de envidia en la femenina. La audiencia femenina debe, al final, querer ser como la protagonista, pues solo así saldrán a comprar las cremas y líneas de ropas que promueven.

Veamos algunos de los personajes femeninos que nos presenta Hollywood: tenemos por ejemplo a la protagonista de la *chick flick*, a la jefe mandona, a la policía y la heroína de película de acción. La de las *chick flick*, tiene muchos enredos personales pero eventualmente será salvada por un hombre y por el amor verdadero. La jefe mandona es una mujer hiperexitosa pero la única manera como ha logrado el tan anhelado éxito profesional es sacrificando su vida personal y convirtiéndose en una perra desalmada totalmente dedicada a su carrera. La policía sí o sí va a resolver un crimen, pero tendrá momentos de intimidad con el delincuente —que resulta siendo inocente— que la confundirán, pero eventualmente le ayudarán a resolver el crimen y a mandar a la cárcel al malhechor. Y la última, la heroína, o mejor, la *fighting fuck toy*[49] es la que pelea en botas de látex de tacón puntilla de veinte centímetros, le da en la jeta a todos, es una solitaria incomprendida por la sociedad, pero su lucha realmente es una lucha interna. Pero eso sí, no podría ser una heroína de su género si estuviera en sudadera, porque apenas por lógica (nótese el sarcasmo) un personaje así debe andar de pelea con el mundo en bikini, o en leotardos de cuero o látex, o en *hotpants* con botas.

En la ficción, los personajes femeninos encajan en tres categorías, como las divide Marilyn French: "1) una protagonista debe ser adorable; 2) no debe tener un poder mundano; y 3) debe vivir feliz por siempre, a menos que, como Anna Karenina, muera por amor"[50].

Vamos como mal.

PERIODISTA O MESERA DE HOOTERS[51]

Ahora vámonos al gran mundo de los noticieros. Ser una presentadora de noticiero debe ser insoportable, solo por pensar que para presentar la emisión de las siete de la mañana tiene que haber llegado al set por lo menos dos horas antes, exponerse a una larga y tediosa sesión de maquillaje matutino para que no haya medio chance de mostrar las ojeras que serían naturales a esa hora de la mañana, y al final quedar como un mimo. Además, saber que el tipo que presenta deportes al lado suyo llegó media hora antes de iniciar la emisión, alcanzó a desayunar en la casa, llegó a que le pusieran un poquito de base para que no salga brillando, una peinadita, y sale. ¡A conquistar el mundo con tus noticias del variado mundo del fútbol, campeón!

Es que el mundo de los presentadores de noticias es muy cruel con las mujeres. ¿Dónde está el equilibrio cuando vemos que a la presentadora la cambian cada cinco años, pero el presentador lleva

---

49 Como las llama Caroline Heldman, profesor asociado de Política en el Occidental College de Los Ángeles.

50 French, Marilyn. The Women's Room. 2009.

51 Término extraído del documental *Miss Representation*. Dir. Jennifer Siebel, Kimberlee Acquaro. 2011.

veinte? Claro, pero esos veinte años se justifican porque el tipo es "un duro". En cambio a la última presentadora la cambiaron porque "sí, era buena, pero se engordó y ya registra vieja". Además, las mujeres mientras más suben en la escalera del poder periodístico, deben procurar mostrar harta pierna así estén entrevistando al mismísimo Obama. ¿Faldas cortas y voces con registros bajos hacen a una "periodista seria"?

Y claro, no pueden faltar las presentadoras de farándula. *Para hablar de JLo, Paris Hilton o de los One Direction no se necesita seriedad, ni tampoco de un hombre que pierda su tiempo hablando de esas bobadas*[52]. Solo una vieja churra, que tenga el diente blanco, harto pelo (o que le peguen bien las extensiones) y que no sea miope para que alcance a leer el teleprompter. Si pusieran al periodista que lleva veinte años a hablar del último escándalo de Britney Spears, el *rating* se iría por el retrete. Emoticón de carita confundida.

---

52 Intención sarcástica que no debe ser tomada literalmente, por favor.

LA FERIA DEL GANADO

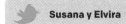

Susana y Elvira @susanayelvira

Móntese en unos tacones de 18 cms, mátese de hambre y luego párese al frente de un auditorio a ver cómo responde una pregunta estúpida.

"Lo único que tiene que hacer es pararse ahí y verse bonita". Esa frase tan despectiva siempre se ha utilizado para atacar a las mujeres que hacen de su imagen una carrera profesional. Lo que no es cierto es que la vuelta sea tan fácil, por lo que no hay mucha justicia en los ataques que reciben estas mujeres. Porque no, no es más difícil ni más digno ser una ejecutiva de cuenta que ser la Reina del Bambuco. *¿O es que es muy fácil aguantar hambre todos los días de la vida, ir al gimnasio con la disciplina de un atleta y someterse al escarnio público en la calle, en las revistas y en los programas de chismes?*

Para un carpintero o el arpista de un grupo de joropo sus manos los son casi todo. Su éxito radica en su talento artístico y en su habilidad motriz. Para un futbolista, sus piernas, su capacidad de hacer cálculos físicos sin darse ni cuenta y su talento en general. Para una modelo o una reina sus herramientas de trabajo son su talento, su carisma, su aguante, su disciplina, su cara y su cuerpo. Es fácil atacar la objetivación de las mujeres con las reinas y las modelos y decir que son ellas mismas las que la promueven. Pero es apenas obvio que, al igual que el futbolista y el carpintero, ellas trabajan con su imagen, la explotan y de eso viven. Así como el financiero explota lo que aprendió en el MBA para llegar a un cargo gerencial. Ellas son objetivadas por terceros, sí, pero siguen las modas y los dictámenes que estos terceros imponen para tener más trabajo y aumentar sus ingresos. Como el carpintero, que tiene que seguir las modas en diseño de muebles porque si siguiera haciendo sillas Luis XV ya se hubiera quedado sin trabajo.

Pero eso sí, no podemos caer en la trampa de creer que la belleza puede y merece todo. Ni que la falta de talento se puede contrarrestar con un buen par de tetas y unas piernas perfectas. Porque además hay demasiadas cosas que hacer en esta vida como para pasarla callado y viéndose lindo.

El documental de 2013 *Chasing Beauty*[53] abre con dos frases realmente impactantes: "El 25% de jóvenes americanas preferirían ganar "America's Next Top Model" que el Premio Nobel de la paz; y el 23% preferiría no poder leer más, que perder sus figuras". Estas afirmaciones no dejan más que preocupación al pensar hacia dónde nos estamos encaminando, en qué nos estamos convirtiendo, cuáles son nuestras verdaderas prioridades. Tal vez en una sociedad inequitativa, loca y obsesionada por la belleza, en la que unos pocos ganan miles de dólares por pararse un par de horas al frente de una cámara, mientras que millones de otros no pueden ni considerar ganar una suma de dinero similar utilizando muchos más recursos que los puramente físicos.

"Nada envejece peor que el ego de una mujer hermosa", dijo en 2010 la supermodelo Paulina Porizkova[54]. "La vejez es la venganza de los feos", dice un proverbio francés que según Porizkova era frecuente escucharlo tras bastidores en un *show* de moda. Es común escuchar a agentes y defensores de la industria de la moda decir que cuando buscan una "cara fresca" no sólo se enfocan en la belleza. Porque ésta no viene sola y no sirve de nada si no hay algo especial detrás de, o sin las toneladas de confianza que se supone que los modelos exudan cuando caminan por la pasarela. Pero debería ser claro que esa confianza no es la que puede confundirse con narcisismo. Sino es el tipo de confianza que debe venir con la edad, la que se desarrolla cuando se depende del ingenio y de la inteligencia y no exclusivamente en la belleza que viene con fecha de caducidad.

---

53 *Chasing Beauty*. Documental. Dir. Brent Huff. 2013.

54 "Nothing ages worse than a beautiful woman's ego". Porizkova, Paulina. "Get Updates from Paulina Porizkova". *Huffington Post*. 2010. Web en www. huffingtonpost.com

Para algunos la belleza es un regalo. Para otros es un castigo. Para otros es un trabajo. Ser lindo tiene sus dificultades, requiere de trabajo y de mucho tiempo y plata. Pero ser un feo con gracia también requiere de ciertos sacrificios y habilidades.

Este mundo no es de los lindos, ni de los vivos, ni de los ricos. ¿O sí?

Susana y Elvira @susanayelvira

Ahora que acabe el desfile en vestido de baño, Calero les va a revisar los dientes a las candidatas. Como en una feria ganadera.

TELEVISIÓN PARA MUJERES

¿Quién dijo que lo que nosotras queremos ver son programas de cocina, de manualidades, de transformaciones de estilo, vestidos de novias, telenovelas y cuanta reversión de Cristina Saralegui existe en el planeta tierra? ¿Quién dijo que nos harían un favor si nos cuentan el secreto de cómo combinar *shorts* de cuero con tacones? ¿No es acaso muy triste poner uno de esos canales "solo para mujeres" para embrutecerse a punta de consejos de cómo hacer pollo al horno, conocer la forma del escote que le favorece a cada tipo de pecho y cómo hacerse un "tocado" con veinte trenzas en tan solo diez minutos? ¿Si en otros canales "no para mujeres" pueden poner *Los Simpson*, seguidos de *24* y rematar con *Vikingos*, por qué en los de mujeres es impensable combinar el programa de Narda López con *X-Men*, *Downton Abbey* y *El Doctor Mata*?

CONSUMIDORAS

Hubo un tiempo que en que las mujeres estaban confinadas al hogar, fuera del dominio público; cuando las calles eran de los hombres y los hogares de las mujeres. Comprar era una actividad en la que las mujeres podían tener el control, tomar decisiones e ir más allá de su rol único de amas de casa: "Comprar le dio a las mujeres una buena excusa para salirse, a veces a una soledad dichosa, más allá de las garras de la familia. Fue la primera forma de la liberación femenina, proporcionando una actividad que se prestaba para socializar con otros adultos, empleados, propietarios de tiendas, y otros compradores"[55].

Comprar era una forma en la que las mujeres podían participar del mundo exterior. Pero cuando las mujeres empezaron a entrar al mundo laboral, también empezaron a participar en el mundo exterior del cual habían sido excluidas. Por eso, el acto de salir a comprar pasó de ser una tarea más del hogar, a una experiencia placentera y una actividad social. Más allá de suplir necesidades, para muchas mujeres irse de compras no es simplemente salir a gastar plata, es una terapia.

Las mujeres somos consumidoras. Ya hemos visto cómo hemos lucrado las arcas de industrias que nos embuten cosas innecesarias, metiéndonos en la cabeza que en efecto las necesitamos. Pero no. Ni las fajas, ni las sombras moradas son una necesidad. Ni todos esos productos de la industria romántica que pasan por los menjurjes del Indio Amazónico que promete retener al hombre esquivo.

Todo responde a tendencias. Hace veinte años una gran masa de vello púbico era lo acostumbrado —o pregúntele a Madonna y sus fotos subastadas en Christie's—. Hoy, en cambio, es un sacrilegio, por lo que las casas de depilación del mundo están haciendo una fortuna a punta de cera y dolor. Porque hoy la tendencia es tener mucho menos pelo *allí*. Una investigación de Christine Hope titulada "Caucasian Female Body Hair and American Culture" (algo como "el pelo en el cuerpo femenino caucásico y la cultura americana") reveló que entre los siglos XVI y XIX la mayoría de las mujeres en Norteamérica y

---

55   Underhill, Paco. *Why We Buy: The Science of Shopping.* New York. 1999. Print.

Europa no se depilaban. Luego, muestra la investigación, las industrias de la moda y de la publicidad comenzaron a crear expectativas y comportamientos para impulsar productos de consumo femenino, como cremas depiladoras y máquinas de afeitar.

Lo mismo pasó con los tratamientos para tinturar el pelo, con anuncios tipo "si solo tengo una vida para vivir, la quiero vivir rubia"[56], bronceadores, cremas aclarantes para la piel para la población afroamericana y asiática, esmaltes y pestañinas, entre muchos otros. De repente, las mujeres no eran suficientemente blancas, o no estaban suficientemente bronceadas, o no eran mujeres si no se arreglaban las uñas, o iban a ser dejadas por sus esposos si parecían un oso. Estas ideas prevalecen, hasta el punto que aún oímos historias como la de Lupita Nyong'o, quien todas las mañanas corría al espejo para ver si se le había cumplido el deseo de amanecer "un poco menos negra", o vemos a mujeres asiáticas lindísimas operarse los ojos para lograr tener ojos más "redondos occidentales". El libre albedrío es una de las grandes victorias recientes, así que cada quien puede hacer lo que quiera, el problema es cuando no lo hacen por ellas mismas, sino para cumplir unos estándares sociales que quién sabe qué loco creó, y lo que es peor, para *ser más atractivas para los hombres*.

Gloria Steinem dijo: "Brasieres, calzones, vestidos de baño y otras vestimentas estereotipadas, son recordatorios visuales de una imagen femenina comercial e idealizada a la que nuestros cuerpos femeninos reales y diversos no pueden caber. Sin estas referencias visuales, cada cuerpo femenino individual pide ser aceptado bajo sus propios términos. Dejamos de ser comparaciones. Empezamos a ser únicas"[57].

Las revistas, blogs y *shows* de moda son los órganos de propaganda de estos ideales, que cada año le dan a las distintas industrias vinculadas a estos sueños y modelos miles de millones de dólares. Sí, mantienen la economía activa, en parte, pero también distorsionan la imagen que las mujeres tenemos de nosotras mismas, y distorsionan nuestra forma de aproximarnos al mundo.

---

56 Scherker, Amanda. "7 Ways the Beauty Industry Convinced Women That They Weren't Good Enough". *Huffington Post*. 2014. Web. En www.huffingtonpost.com

57   Steinem, Gloria. "In Praise of Women's Bodies". *Ms. Magazine*. 1982.

Para citar solo dos ejemplos, el tipo de mujeres que *Cosmo* o *Fuscia* promueven son consumidoras de cremas, zapatos y ropa que, por separado, cuestan en promedio dos salarios mínimos colombianos. Estos medios han sido eficientes a la hora de atar el consumo de estos productos a valores, virtudes y adjetivos con los que las mujeres quieren ser definidas: elegancia, clase, estilo, belleza y éxito entre muchos otros. ¿Qué pasa entonces con las mujeres que con ese salario mínimo deben, en lugar de comprar zapatos, pagar un arriendo y alimentar a sus tres hijos? ¿Qué rol juega entonces esta mujer dentro del género?, ¿qué pasa si esta mujer no puede adquirir los bienes que le otorgan la elegancia, clase, estilo, belleza y éxito que define a las mujeres? Tal vez en el censo haya que crear un nuevo género, "la casi mujer a la que solo le faltan zapatos, carteras, relojes y cremas carísimas para tener elegancia, clase, estilo, belleza y éxito para ser mujer". Porque hoy una mujer es una consumidora. Es uno de los rasgos que la definen.

CLASIFIQUEMOS, CLASIFIQUEMOS Y CLASIFIQUEMOS

Susana y Elvira @susanayelvira

Perra o gorda. ¿Es que acaso no existen más palabras en el diccionario para insultar a una mujer?

NINFÓMANAS, PERRAS, ZUNGAS E HISTÉRICAS

Vamos a hacer esta parte como si fuéramos un par de periodistas bien pachucos e irresponsables de un medio bien pachuco e irresponsable siguiendo las órdenes de un editor bien pachuco y mediocre. Lo primero que debemos hacer es ponerle un título bien amarillista y "vendedor" para asegurar la lecturabilidad de la pieza.

Algo así como

"Si tu pareja quiere tener sexo varias veces a la semana, ¡cuidado! Puedes estar al frente de un caso de ninfomanía".

Y seguiría algo como:

¿Pero qué es la ninfomanía? La ninfomanía es un trastorno que sufren las mujeres que tienen un deseo sexual intenso e insaciable. Viene de las palabras griegas: ninfe y manía. "Ninfe" viene de "ninfa" que eran las deidades greco-rromanas pero también se refiere a los labios pequeños de la vulva y así mismo significa "novia recién casada". Y "manía", locura. La ninfomanía puede ser el resultado del consumo de sustancias químicas que pueden afectar el comportamiento de una persona.

Y después incluiríamos un test para eso de la "interacción con el usuario"

¿Cómo sé si mi pareja es una ninfómana?

1. ¿A su pareja le gusta tener sexo?
    SÍ _____   NO _____
2. ¿Su pareja toma la iniciativa para comenzar las relaciones sexuales?
    SÍ _____   NO _____
3. ¿Cuando tiene relaciones con su pareja, lo hacen desnudos?
    SÍ _____   NO _____
4. ¿Tiene relaciones sexuales tres o más veces a la semana con su pareja?
    SÍ _____   NO _____
5. ¿Su pareja ha tenido más de dos parejas sexuales en su vida?
    SÍ _____   NO _____

Si contesta SÍ a 2 de estas 5 preguntas, su novia/esposa/pareja es una ninfómana. Llévela al médico para que la seden y la encierren porque su excesivo deseo sexual acabará con usted. Porque no es sólo una ninfómana. Es una perra, zunga, casquifloja.

Le recomendamos enfrentarla con el apoyo de un profesional, pues su reacción puede ser tan adversa que probablemente terminará en gritos, pataletas e insultos por parte de ella. No se preocupe, es un episodio de histeria. Es normal. Todas las mujeres, perdón, ninfómanas son histéricas.

Y ahora, un chiste parrapapunchischis:

Un hombre se sube a un avión en el aeropuerto de Ciudad de México con destino a Nueva York y, al sentarse, descubre a una mujer guapísima que está entrando en el avión. Se da cuenta de que se dirige hacia su asiento y... ¡¡bingo!! Se acomoda justo a su lado.

—Hola, ¿viaje de negocios o de vacaciones?

Ella lo mira y le responde de manera encantadora:

—De trabajo. Voy a la Convención Anual de Ninfómanas en los Estados Unidos.

El tipo traga saliva. Está junto a una de las mujeres más hermosas que ha visto en su vida y... ¡¡Va a una convención de ninfómanas!!

Luchando por mantener una actitud correcta, le pregunta de forma calmada:

—¿Y qué hace usted exactamente en esa convención?

—Soy conferencista. Hablo desde mi experiencia, para desmitificar muchos mitos sobre la sexualidad.

—¿De veras? —sonríe— ¿Y qué mitos son esos?

—Bueno, uno muy popular es que los afroamericanos son los hombres mejor dotados físicamente, cuando en realidad son los indios "navajos" los que poseen esta cualidad. Otro mito muy popular es que los franceses son los mejores amantes, cuando en realidad son los de ascendencia griega. Y también hemos comprobado que en cuanto a potencia, los mejores amantes en todas las categorías son de origen almeriense.

De pronto la mujer se incomoda y se sonroja. Y le dice:

—Perdón, en realidad no debería estar hablando de todo esto con usted, cuando ni siquiera sé su nombre.

—Pluma Blanca —le responde— Pluma Blanca Papadopoulos, pero mis amigos me llaman "er pollica de Almería"[58].

Y mañana, más cuentachistes.

---

58 Traducción del argot andaluz: "er pollica de Almería" = "el vergón de Sincelejo"

ANEXO 1: ÁRBOL "GENEALÓGICO"

Vea quién es quién en este libro y cómo se relacionan entre sí.

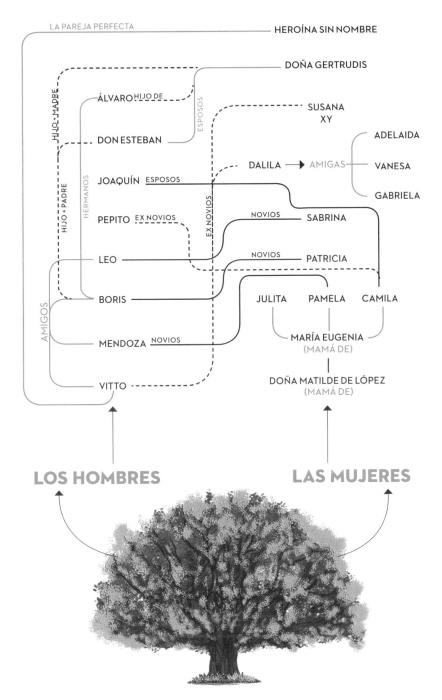

PARTE 2

Lo entendimos todo mal

¿LOS HOMBRES QUÉ?

En 2008 Beyoncé lanzó "If I Were A Boy" en la que decía que "Los chicos son de molde y nosotras somos de corazón. Se piensan que son los del sexo superior pero cuando los queremos los vence nuestra seducción"[59]. Creemos que sus productores le dijeron "Beyoncé, esto va a ser un *hit*. Ahora en el video tú saldrás actuando como macho, pero como mujer al mismo tiempo. Así, como por la disyuntiva, ¿tsi?, para jugar con eso del cambio de roles, ¿tsi?". En efecto, la canción fue un hit. Pero una noche, mientras Beyoncé se quitaba su corsé y se bajaba de unos tacones de 15 centímetros después de aparecer en el *show* de Oprah, le dijo a su marido Jay-Z, "Jay, amorcito, menos mal no soy hombre"[60].

Es que ser un ser humano —en general— no es fácil. Jordi dijo en 1992 que ser bebé era duro, duro. ¡Ser bebé! Beyoncé hizo el ejercicio de ponerse en los zapatos de un hombre y concluyó que era complejo. Tammy Wynette[61] dijo bajo el yugo del sometimiento patriarcal en los sesenta, que ser mujer es un complique, porque "tendrás momentos difíciles mientras él la pasa bomba haciendo cosas que tú no entiendes".

---

59 "Si yo fuera un chico": Beyoncé Knowles, versión en español. Si suena raro, no son errores de tipeo. La canción en español es así, en efecto.

60 Datos recogidos de "historiadores" muy chismosos.

61 Tammy Wynette, "Stand by your man".

A las mujeres nos ha tocado difícil. Hemos tenido que luchar por tener los mismos derechos civiles que los hombres, por hacer respetar las decisiones respecto a nuestro cuerpo, por tener posiciones laborales con sueldos equitativos a los de los hombres, e ir más allá de las cocinas de nuestros hogares para hacernos necesarias en la sociedad. Pero todas estas luchas no restan las dificultades que deben sobrepasar los hombres a diario, porque ellos también han sido víctimas de sus propios inventos, del machismo, del patriarcado, de la hegemonía masculina, de las mujeres.

No podemos hablar de la relación entre hombres y mujeres sin echarle un vistazo a las maneras como se han entendido los hombres, ni mucho menos ignorar lo que ellos piensan y opinan sobre su lugar en el mundo. Así que empecemos por lo más básico. Qué sienten y qué quieren.

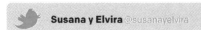 **Susana y Elvira** @susanayelvira

Los seres humanos somos complejos.
El señor del taxi es morenito, tiene una
esvástica tatuada en la mano y oye
Vilma Palma E Vampiros.

LAS DIFICULTADES DE SER HOMBRE

Ellos lo dicen:[62]

- No basta con ser un hombre bueno. No. Para que un hombre sea un "hombre", debe ser un putas. Y ser un putas no es sólo ser un Vitto capaz de levantárselas a todas. Porque ser un putas es muy jodido: debe ser pinta, exitoso, tener plata, inteligente, saber conversar, saber trabajarse a las viejas y saberles caer.
- Las mujeres determinan el juego de la conquista: Si no fuera por las mujeres no existirían cantautores, ningún hombre hubiera aprendido a tocar guitarra. Viviríamos en una caja, en taparrabos o en bola, pero eso sí, con un televisor para ver fútbol.
- Las mujeres pueden escoger a qué tipo le prestan atención. Los hombres, al contrario, tenemos que pensar en cuál vieja nos pondría atención y luego ver cómo hacemos para que nos pare bolas. Debemos saber cómo volvernos importantes para ellas.
- Caerle a una vieja es muy jodido.
- Hay viejas que uno se come y viejas con las que se cuadra, incluso se casa. Son cosas muy diferentes.
- Hay muchas locas sueltas.
- Una vieja que uno se pueda comer de primerazo pierde "matri-puntos". Porque vamos a querer seguir comiéndonosla, no necesariamente cuadrárnosla.
- Si una vieja toma la iniciativa, qué alivio. Ya es hora de que las mujeres dejen la pendejada de creer que van a ser vistas como unas perras por invitar a un hombre a salir.
- "Perra" no es la que se los come a todos. "Perra" es la que no se respeta a sí misma.
- Como las mujeres no están acostumbradas a echar los perros porque no les ha tocado hacerlo, cuando lo hacen no tienen la

---

62 Reproducimos, tal cual y con alguna curaduría, lo dicho por nuestros amigos Federico Soto, Arturo Torres y Andrés Ossa. En el *podcast* que encuentran vinculado más adelante contradecimos algunos puntos..

hombres es que es imposible entender a las mujeres, aunque a nosotras también muchas veces nos quede de p'arriba descifrar a los hombres. Nosotras creemos, en cambio, que la imposibilidad de entendernos responde más a su pereza y ceguera, porque, finalmente no es tan difícil. Lo juramos. Porque a veces entendernos es, simplemente, hacerse a un lado cuando queremos guardar silencio. Fácil. Así que hagan lo que puedan con eso. Fin del hipervínculo.

Las cosas pueden ser simples. Pero la humanidad tiene una gran obsesión por enredar las cosas. A escalar todo de nivel. Así que como nosotras, Susana y Elvira, estamos haciendo un intento por entendernos, haremos lo posible para entender a los hombres y descifrar cómo es la vuelta entre ellos y nosotras en este mundo complejo y teorizado.

1. EL CETRO MASCULINO

Un hombre puede sostener su hombría en la mano, pero ¿quién sostiene a quién en realidad? ¿Es el pene lo mejor que hay en el hombre —o la bestia? ¿Está el hombre a cargo de su pene, o está su pene a cargo de él? ¿Cómo se supone que debe usarlo? ¿Y cuándo ese uso se convierte en abuso? De todos los órganos corporales sólo el pene obliga al hombre a confrontar tales contradicciones; por momentos insistente, a veces renuente, en ocasiones poético, otras veces patético, un instrumento para crear, pero también destruye, una parte del hombre que, con frecuencia, parece estar aparte del cuerpo. Este es el acertijo que hace del pene un héroe y un villano a la vez, en un drama que incluye a todos los hombres. Y a la humanidad con él[63].

Amárrense porque ahora vamos a hablar mucho de pipís. Es que no podemos obviar la relevancia del miembro masculino si queremos hablar de los hombres y el lugar que tienen en este libro. Porque como bien lo dice Friedman, los hombres pueden sostener su hombría en la mano. Así que prepárense y tomen esta parte como si estuvieran en Epcot haciendo un recorrido en trencito por el fascinante mundo del falo y la hegemonía masculina.

---

63   Friedman, David. *Una historia cultural del pene*. 2001.

Tiffany's, maldito tacaño!". No importa lo que hagas. Tu mujer siempre estará furiosa contigo.

Si trabajas todo el día: "¿por qué trabajas todo el día. Ya ni vienes a casa. Siempre me dejas. Odio esta mierda". Si estás en casa todo el tiempo: "¿Por qué estás todo el tiempo detrás mío? Dame espacio para respirar. Maldita sea, deja de molestarme. Odio esta mierda". Si ganas más dinero que ella: "Jódete. Yo también puedo tomar mis propias decisiones. No eres mi padre. No necesito que me cuides. Odio esta mierda". Si ella gana más dinero que tú: "Maldito desgraciado quebrado. Nunca tienes dinero. A la mierda esto. No quiero tomar todas las decisiones, necesito alguien que me cuide. Odio esta mierda. No lo soporto".

Y la razón número uno por la que una mujer siempre está enojada, amigos, es porque tu no fuiste su primera opción. ¿Nunca han agarrado a su mujer simplemente mirándolos sin decir nada? En su cabeza ella está pensando "cómo putas terminé con este desgraciado. Dios mío, este desgraciado es feo y estúpido. Yo tenía un hombre bueno y lo arruiné. Maldición, Señor, mata a este hombre. Mátalo, por favor. Mátalo mientras todavía me veo bien para conseguirme uno mejor".

—Chris Rock

Si así piensan la mayoría de los hombres, estamos joches. Si una mujer está con un hombre sólo para joderle la existencia y para rogar que por favor se muera para conseguir a otro y poder reiniciar el ciclo vicioso, estamos joches, joches. Si las mujeres somos incapaces de darles las tres cosas que quieren, comida, sexo y silencio, estamos requetejoches.

Nosotras jodemos, pero ustedes también. Sépanlo bien. No somos tan diferentes, hombres y mujeres. Si los hombres necesitan que les suplamos las tres necesidades de comida, sexo y silencio, lo que nosotras queremos no dista tanto: "Cómeme, entiéndeme, respétame". Simple y pragmático, porque nosotras también podemos serlo.

Ahora que vemos lo que acabamos de escribir, creemos necesario abrir un hipervínculo: somos conscientes de que la palabra "entiéndeme" se presta para irse por un ramerío lleno de espinas y troncos rotos si pensamos en todo lo que alcanzaría a caber en esa "pequeña" petición. Porque si de algo se quejan los

HÉROE, VILLANO, MÁQUINA E INTERMEDIOS

La obsesión por el pipí parece haber existido siempre, y sabemos que el pene ha sido un símbolo transversal en la historia de la humanidad. Tantas estatuas, personajes de la mitología y dioses vergones, y tantas celebraciones falocéntricas alrededor del mundo y a través de la historia, dejan en evidencia que para la humanidad el pene no es simplemente un pene, un órgano con músculos, ligamentos y efectivos sistemas de bombeo. Ha sido satanizado, adorado, temido, admirado y reverenciado. Por eso vale la pena hacer un resumen histórico del pene, como si esto fuera un libro de resumen de esos que uno compraba en el colegio para no leerse *El Quijote* completo[64].

Mucho antes de que el pene fuera satanizado como un instrumento del mal, por parte de la Iglesia Católica y el *dementor* de San Agustín, éste fue para muchas culturas occidentales un vínculo entre lo humano y lo sagrado. Para lo egipcios, era un órgano mágico que desafiaba a la mismísima muerte. Osiris, el más viril del inframundo resucitó gracias a que Isis, la reina, encontró su pene después de que Seth descuartizara y esparciera su cuerpo por todo el reino. Los judíos en tiempos de Abraham también tenían una relación de humanidad/divinidad a través del pene. Por eso la circuncisión. El hecho de marcar el órgano más importante del hombre creaba un vínculo entre él y Dios, poniendo su pene al servicio de Dios. Los griegos, por su parte, tenían una gran fascinación por el pene como símbolo de poder: lo exhibían en estatuas, creaban monumentos enormes que debían ser cargados por miles de soldados, y se inventaban fiestas y templos inspirados en los penes. Porque para ellos, el pene era "la idea", creadora, activa, fértil y masculina, la medida de su proximidad con el poder y la inteligencia divina. Para los romanos el pene también era un símbolo de poder y de temor, tanto que las calles de Roma estaban llenas de representaciones de erecciones, como símbolo de protección y buena suerte. Para ellos, un pipí enorme representaba también a un hombre con fuerza excepcional, hasta tal punto que un pipí grande podía ser la clave para ascender en el ejército romano. Pero también

---

64 Gracias, señor Friedman.

era un instrumento del Estado: César Augusto penalizó la soltería y recompensó la paternidad y se inventó una fiesta estatal en la que se celebraba la primera eyaculación de un niño. Pero después en el siglo IV llegó San Agustín y demonizó el pene, lo llenó de vergüenza y culpas, pero no por otra cosa que su propia incapacidad de controlar sus arrecheras.

> Para Agustín, el pene era lo que sería el brazo del doctor Strangelove, mil quinientos años después, en el sombrío filme de Stanley Kubrick: no sólo se alza sino que lo hace por voluntad propia. "Ese es el castigo del pecado", escribió Agustín, "esa es la plaga y la marca del pecado". (...) El bastón sagrado se transformó en el cetro del demonio (...) el corruptor de toda la humanidad[65].

Así que lo que alguna vez fue visto como un símbolo de poder y de conexión divina, se fue para el otro extremo, transformándose en un objeto de vergüenza, repugnancia y maldad. Cuesta creer que aún hoy, después de tantos siglos, algo de eso permanece en el imaginario colectivo. Para no ir muy lejos, primero piensen en las representaciones de Adán y Eva con la hojita de parra tapándoles sus "partes nobles" y después en Barbie y Ken. La razón de las hojitas en Adán y Eva era porque antes de dejarse tentar por la serpiente, eran puros y por ende no tenían genitales, órganos repugnantes y vergonzosos. ¿Pero Barbie y Ken? ¿Y Los Simpsons?

AUNQUE DURANTE SIGLOS NOS HEMOS INVENTADO TODA SUERTE DE MITOS ALREDEDOR DEL PIPÍ, LO QUE HOY SÍ SABEMOS ES QUE HOMBRE, PIPÍ Y CEREBRO SON UNO SOLO.

---

65   Friedman, David. *Una historia cultural del pene*. 2001.

¿Algún aporte, señores de Mattel?

Pero pasaron los siglos y apareció Da Vinci, el primer hombre que logró sacar el pipí del reino de la religión para introducirlo al mundo de la ciencia. El cuerpo humano fue entonces secularizado por primera vez, a pesar de la insistencia de la Iglesia de ver al cuerpo como la casa donde se juntaba lo divino con la inmundicia (de los desechos del cuerpo el más contaminante de todos era el semen). Ahora la fascinación del pene como creador y conector con lo divino pasó a ser parte del hombre como máquina. Porque para Da Vinci los genitales eran construcciones perfectas, los engranes de la *machina mundi* y fue el primero en entender que era sangre y no viento lo que causaba una erección, como se había creído hasta el momento. Después de Da Vinci llegaron muchos científicos y continuaron estudiando el pene con fascinación, hasta que ya finalmente en el siglo XVII el pene dejó de ser visto con vergüenza y misterio, y se empezó a admirar como una máquina perfecta. Pero pasó el tiempo y en el siglo XIX los médicos volvieron a satanizar el pene, condenaron la masturbación como una manera de matarse (por el desgaste innecesario del semen), incluso justificaron la misoginia porque eran las mujeres las culpables de hacer a los hombres eyacular cuando éstos deberían estar conservando su semen. Y los colonizadores y exploradores europeos justificaron también la supremacía del hombre blanco, porque al ver que los negros tenían el pipí más grande que el de ellos decidieron que éstos eran más bestias que hombres. La historia sigue, pero mejor cómprense el libro de Friedman porque se nos pueden ir las páginas completas de este libro contándoles la historia del pipí.

Aunque durante siglos nos hemos inventado toda suerte de patrañas y mitos alrededor del pipí, lo que hoy sí sabemos es que hombre, pipí y cerebro son uno solo. No como piensan algunos hombres que le dan personalidad y vida propia a su pipí como si fuera un alien o una tenia que vive en sus tripas. Como el caso de Tom Mitchell, un gringo que aparece en el documental *The Final Member*[66] que está obsesionado con la idea de que su pipí, que además se llama "Elmo" y habla de él en tercera persona, sea el primer pene humano exhibido en un museo. Es tan loco este señor y tan obsesivo con su idea de que su pene merece exhibirse como el más grande, norteamericano y perfecto espécimen, que el tipo llega a los extremos de: a) tatuarse la punta con rayas rojas y blancas y estrellas azules, b) diseñar la caja en la que se exhibirá su pene como si se tratara de la tumba de Napoleón o de Ho Chi Minh y, c) tomar la decisión de amputárselo en vida para poder ver a "Elmo" exhibido en su más esplendorosa grandeza para todas las generaciones venideras. Todo, porque él tiene un sueño, y es que "Elmo" encuentre la fama y sea admirado por las masas. Pero esa fama le pertenece a Elmo, no al señor Mitchell. Porque el señor Mitchell es un hombre centrado y humilde, que sólo busca el bien del otro, como si ese "otro" no fuera un órgano más de su propio cuerpo.

Toda esta tontería de decir que el pipí tiene vida y personalidad propias, y no se sabe quién controla a quién para justificar infidelidades, sexo con guarichas, e incluso violaciones y pedofilia, son puras excusas perezosas de seres perezosos. Así que no, señor Mitchell, su pipí no levita, su pipí no es un superhéroe que salva a los niños en los incendios ni rescata gatos de los árboles, su pipí no actúa bajo sus

---

66 *The Final Member*. Documental. Dir. Johan Bekhor y Zack Math. 2012.

propios instintos, su pipí está conectado con su cerebro y el que lo debe manejar es usted.

El pipí puede ser divino, demoníaco, creador o destructor. Puede ser utilizado para bien o para mal. Pero los hombres deben tener control sobre su cuerpo, así como nosotras lo tenemos sobre el nuestro.

¿EL TAMAÑO IMPORTA?

En 2013, Patrick Moote[67] se embarcó en un viaje lleno de humillaciones para buscar cuanta técnica existía en el mundo para agrandar el pene. Descubrió varios tratamientos y se sometió a algunos: pastillas, bombas de pene para alargamiento, masajes, amarrarse pesas del pipí para levantarlas y balancearlas, hasta inyecciones de aceite de palma y cirugías plásticas. Y todo, porque le propuso matrimonio a una mujer que se negó a ser su esposa porque lo tenía muy chiquito. Su humillación no llegó simplemente a que montó toda la parafernalia para "hacerla su mujer" y le dijeron que no, sino que tuvo la pésima idea de proponérselo en un partido de básquet y la mala suerte de que algún desgraciado lo grabara y subiera el video a YouTube[68]. A los cuatro días de la publicación del video, tenía algo así como diez millones de reproducciones y las consiguientes respuestas y reacciones que le decían de todo. "Pobre imbécil", "mucho man tan cagado", "esa loca tiene mucho huevo", "ánimo amigo". Opiniones, burlas y sentidos pésame. Porque le dijeron que no y por tenerlo chiquito.

"Dicen que la curiosidad mató al gato, pero no dicen si lo que descubrió valió la pena". El viaje de Moote para obtener una respuesta sobre su "problema" lo llevó a encontrarse con médicos, psiquiatras, antropólogos y harto *bippie*, llegando a la conclusión de que el tamaño de su pene era *below average* para su realidad geográfica aunque promedio en otras latitudes, como Asia. Después de darse muy duro por la cabeza llegó a la conclusión de que estar "por debajo del promedio" era una medida absolutamente subjetiva. Y lo es, porque no todos los hoyos son iguales.

---

67   *UnHung Hero*. Documental. Dir. Brian Spitz. Perf. Brian Moote. 2013.

68   YouTube: https://www.youtube.com/watch?v=OAvMgOO1ZIw

El documental de Moote suelta datos interesantes que no pensamos corroborar. Por ejemplo, un antropólogo que vive en Papua, Nueva Guinea, cuenta que en las batallas antiguas en ese lugar, cuando se enfrentaban cuerpo a cuerpo los líderes, estos peleaban parolos y la muestra máxima de la victoria era consumir el semen del derrotado. Así de loco como lo oyen. Otra señora en Taiwán cuenta que hay estudios que demuestran que mientras más monogámica es una sociedad, el pene de los hombres es más pequeño.

Hay muchas más prácticas dementes relacionadas con el tamaño del pipí con las que no se encontró Moote. Por ejemplo, los sadhus indios utilizan pesas para alargarse el pipí; en Borneo, los Dayak se perforan las pelotas y se insertan diferentes objetos para estimular a su pareja; en Brasil, los Topinamas torean serpientes venenosas para que les muerdan el pipí y éste sea más largo durante seis meses.

Mucha culpa tiene el porno por la obsesión actual por el tamaño del falo, pues, como lo dice un director de cine porno que Moote se encuentra en su viaje, "el actor debe tenerlo grande, de lo contrario la cámara no puede verlo ni enfocarlo bien". El porno dicta muchas conductas sexuales que pueden ser aceptadas, admirables, transgresoras u horrorizantes, pero al igual que pasa con la moda, la industria impone y dicta tendencias. Y lo que el porno nos ha metido en la cabeza es que para tener buen sexo se necesita un pipí enorme y —como la canción de Los Toreros Muertos[69]— "un buen par de tetas". Querámoslo o no, vivimos en un mundo "faloteticentrista".

Los hombres son competitivos. Y mucho cuando se trata de su habilidad de satisfacer a una mujer sexualmente. Miren no más a Vitto.

Desde que Dalila lo echó, Vitto no capa gimnasio. Es que si hay algo que lo enorgullece en su vida son los bíceps enormes que lleva trabajando años y sólo se pueden comparar con los de Alejandro Fernández. Muchos dicen que su obsesión por levantar pesas y agrandar y agrandar brazo, es la consecuencia de un trauma de adolescencia y es una forma de compensar una falencia.

---

69   *Pilar*. Los toreros muertos, 1987.

Cuenta la historia que un día, después de clase de educación física, el joven Vitto de tan sólo dieciséis años llegó con sus compis a las duchas para bañarse después de un arduo entrenamiento. Se desvistió y se metió a la ducha. Rodríguez, el costeño dicharachero del curso, alcanzó a esbozar el miembro de su amigo. "Errda, mi broder, ¿tu vienes con tecnología japonesa? ¡Solo con microchip!". Inmediatamente Vitto se traumatizó y empezó a pensar algo que nunca antes se le había ocurrido: "mierda, lo tengo chiquito". Nunca más volvió a bañarse en el colegio después de clase de educación física.

Vitto creció y se convirtió en el macho alfa que conocemos hoy. Pero por mucho que levante, el pobre sufre de una inseguridad bárbara cuando logra llevarse a una de sus presas a la cama. Por eso nunca, pero nunca, se come a una vieja con la luz prendida, mucho menos después de un chascarrillo que tuvo con Dalila.

Después de años y muchas horas porno encima, Vitto ha perfeccionado decenas de técnicas para complacer a la víctima del momento que no involucran necesariamente a su pequeño amigo. Este macho alfa ha logrado compensar su supuesto problema de tamaño con brazo grande y dedos de pulpo para evitar así que se cuenten historias que puedan arruinar su reputación. Porque Vitto podrá aguantar muchos golpes y agravios, pero no podría soportar que le dijeran que es un mal polvo y que lo tiene chiquito.

* * *

¿CHIQUITO, GRANDE, PROMEDIO?

Alfred C. Kinsey fue uno de los primeros, o por lo menos uno de los más famosos, en investigar el comportamiento sexual de los hombres y las mujeres norteamericanos en las décadas de los cuarenta y cincuenta. Sobre el tema del tamaño del pene, concluyó que para ese entonces el largo promedio de un pene erecto en los hombres estadounidenses era de 12.7 a 16.5 centímetros y con una circunferencia de 10.2 a 12.7 centímetros. Pero las conclusiones de Kinsey han cambiado. Hoy en día se habla de un promedio de un pene erecto de 14 a 16 centímetros y 12 a 13 centímetros de ancho (en estado erecto). Adelante, saquen la regla.

Aunque estos estudios establecen una "normalidad", también existe mucha discrepancia al respecto en cuanto por ejemplo razas y edades, incluso tendencias sexuales. Es que también hay un estudio que muestra diferencias significativas entre las "mangueras" de los homosexuales y los heterosexuales y concluye que los homosexuales la tenían más gruesa y larga. Vaya uno a saber.

EL "SÍNDROME DEL PENE PEQUEÑO"

Sabemos que en la viña del Señor hay de todo y para todos los gustos. Existen guanábanas, limones mandarinos, bananos, guamas, guayabas, manzanas, feijoas... Y eso no quiere decir que todas estas frutas sean del agrado de todos los seres humanos. Porque si algo tenemos claro, es que en la variedad está el placer y la insatisfacción pareciera ser más frecuente y predominante que la satisfacción.

Una mujer nunca va a estar completamente satisfecha con su cuerpo o con su apariencia. La que diga que lo único que se cambiaría sería la uña del dedito chiquito del pie izquierdo es una vil mentirosa. Una mujer siempre va a querer ser más flaca o más gorda, o tener más pelo, o ser más alta o más bajita, aunque sean la fotocopia de la mismísima Gisele Bündchen. Y ningún hombre en el mundo le dirá la verdad jamás, porque la única verdad verdadera será lo que la mujer vea en el espejo a través de sus ojos.

Así como ningún hombre en la faz de la tierra ni a través de los siglos podrá tener la respuesta correcta al "¿estoy gorda?", ninguna mujer tendrá la respuesta correcta al "¿lo tengo chiquito?". Porque así como nosotras sufrimos estúpida e infundadamente por la manera como nos vemos, ellos sufren por el tamaño de su pipí —siempre—, el responsable de ese gran caldo de inseguridad masculina. Y decimos que siempre, porque en algún momento de su vida un hombre tuvo que comparar el tamaño de su pipí con el de sus amigos para saber si lo tenía "normal" o no. No en vano, el síndrome del pene pequeño también es conocido como *locker room syndrome*.

En un estudio realizado en 2006[70], el 66% de los hombres consideraron que el tamaño de su pene era promedio, 22% lo consideraron

---

70   Kevan R, Wylie and Ian Eardley. "Penile Size and the 'Small Penis

grande y el 12% pequeño. Así mismo, el 85% de las mujeres encuestadas dijeron estar satisfechas con el tamaño del pene de su pareja, aunque sólo el 55% de los hombres dijeron estar satisfechos con el tamaño del suyo. El 45% de éstos últimos dijo querer un pene más grande, y sólo el 0.2% querían tenerlo más pequeño. Pero lo interesante del caso es que el sufrimiento masculino por el tamaño de su miembro es doble: porque no contentos con sufrir si crece o no lo suficiente en estado erecto, también sufren cuando está flácido. Y cuando el trauma por el tamaño es severo es increíble los extremos a los que pueden llegar para tratar de cambiar el tamaño de su pene. Como Moote. Hombres que sufren el síndrome del pene pequeño.

> El SPP se define como una ansiedad sobre los genitales al ser observados, directa o indirectamente (cuando están vestidos) por la preocupación de que la longitud del pene flácido y/o el grueso es menor para un hombre adulto, a pesar de la evidencia de un examen clínico para contrarrestar esta preocupación. Puede ser una reflexión obsesiva, parte de un trastorno dismórfico corporal o como parte de una psicosis[71].

Así las cosas, los hombres que sufren de este síndrome también sufren de otros desórdenes psiquiátricos como desorden obsesivo-compulsivo, fobia social, ansiedad y depresión. Pero también lleva a baja autoestima sexual ligada a la exclusión social.

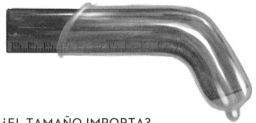

» PERO ¿EL TAMAÑO IMPORTA?

Un cabezón no es más inteligente por tener una cabeza enorme, y un orejón no oye mejor por el tamaño de sus orejas. Así que no sabe-

Syndrome'". *BJU International*. 99.6 (2006): pp. 1449-55. Web.

71 Ibid.

mos si de verdad valga la pena desgastarse en la discusión sobre si el tamaño importa o no. Si *beauty is in the eye of the beholder* pues entonces el tamaño depende del hoyo y de lo que pase ahí adentro.

Los hombres también son objetivizados. Por parte de las mujeres y por ellos mismos. Si nosotras no somos sólo tetas y cucas, ellos tampoco son sólo pipís.

2. EL MACHO ALFA DE LA MANADA

¿Qué es ser hombre? ¿Tener un pene, pelo en pecho, bigote y caminar con los brazos separados? ¿Ser dominante, el proveedor de una familia, ser gerente de algo? ¿Ser un macho alfa? ¿Fuerza bruta? ¿Estoicismo? ¿Razón? ¿El poder configurador? ¿Un género? ¿Una identidad? ¿No ser mujer?

Susana y Elvira @susanayelvira

Estoy oyendo un vallenato que dice "es que a veces las mujeres también tienen la razón". No pues, #quegracias.

» *THE ULTIMATE* MACHO ALFA DE LA MANADA: BETO BARRETO

Nunca es tarde para conocer a los grandes personajes de este país. Gracias a Metrópolis[72] y al propio Beto Barreto por dejarnos en 2010 entrar en el fascinante mundo de este excelentísimo hombre, de grandes y revolucionarias ideas.

Sin más preámbulos, éste es Beto Barreto, fundador del Movimiento Machista Casanareño, en sus propias palabras:

---

72 Metrópolis. "Join the Colombian Machistas". 2010. Web. En www.metropolistv.nl

—Para poder ingresar al Movimiento Machista la condición grande es que le gusten las mujeres. Y luego acreditar, homologar, por ejemplo, tener una demanda por paternidad, tener una demanda por alimentos, haberse parrandeado la fiesta de un cuñado, que haya dado muestra de un acto de hombría. Un acto de hombría se puede manifestar que tenga su mujer, tenga a su señora y tenga dos más. Porque aquí más que en otra parte de Colombia estamos acostumbrados a ejercer los privilegios que nos donaron nuestros antepasados. El machismo es el ordenamiento natural de la sociedades, desde el principio de los tiempos, necesitamos partir de esa base. Porque se necesita un hombre que gobierne y una mujer que haga caso.

—Porque el Estado colombiano protege a la mujer embarazada pero castiga y persigue con saña al que la embarazó. Y así como hay tantas ayudas para la madre soltera, la madre campesina, pa' la madre cabeza de hogar, no tenemos un subsidio para los hombres que somos cabeza de varias familias.

—Yo quiero por ejemplo, llegar al Senado para acabar con el adulterio, para crear en todos los municipios de Colombia un hogar de paso del marido infiel. Por qué no una oficina jurídica que nos defienda a nosotros los hombres que nos toca pegarle a las mujeres. O una asistencia psicológica al menos para que nos rescate a tanto marido tontarrón y pendejo que todavía existe.

—El machismo es un ordenamiento natural. Por eso el hombre es más recio, por eso la mujer es más débil; por eso el hombre es inteligente, por eso la mujer es bruta; por eso el hombre es fuerte y la mujer bella.

—La dejo [a mi esposa] que piense pero ella no tiene por qué opinar, ¿no? Pensará, sí, hasta ahí se le concede ese derecho, pero no más. Tampoco.

—Con las mujeres inteligentes y bonitas me ha ido supremamente bien. Son muy escasas, muy escasas. Esos dos dones de la naturaleza no van juntos.

Estas parecen citas sacadas de las más ácida de las comedias negras y políticamente incorrectas, de esas que uno se siente mal por reírse pero no puede evitarlo. Pero cuando vemos que estas frases no son producto de la mente retorcida de un guionista ni viven en el fantástico mundo de la ficción, sino que provienen de un hombre que nació en la misma tierra que nos vio nacer... dan ganas de empacar las maletas e irse a vivir a Oslo.

Beto Barreto parece un mal chiste. Que fácilmente podría competir contra chistes machistas tipo "¿Por qué la estatua de la libertad es mujer? Porque se necesitaba una cabeza hueca para hacer un mirador". O "¿Cuántas veces se ríe una mujer con un chiste? Tres veces: cuando se lo cuentan, cuando se lo explican y cuando lo entiende". O "En que se parecen las mujeres a los semáforos. En que después de las doce nadie las respeta". O "Una mujer va a una biblioteca y le pregunta al bibliotecario: ¿por favor, los derechos de la mujer? Y éste le dice ¡Ah, sí! Por la sección de ciencia ficción". ¿Cómo es posible que tantas mujeres hayan soportado vivir al lado de cavernícolas de esta índole? ¿Cavernícolas que se valen del cuento de la Biblia de que la mujer salió de la costilla de Adán para justificar su estupidez?

Por cierto, los hombres no tiene una costilla menos. Y Beto no está solo en el mundo.

» ESTE ES VITTO, NUESTRO MACHO ALFA DEL QUE TANTO HEMOS HABLADO

Vitto usa harta gel en el pelo. Su atuendo favorito es una camiseta blanca de talla de niños que procura quitarse con frecuencia para mostrar sus músculos y tatuajes. Tras doce años en el mercado ha aprendido que esta jugada le provee hembras y asusta a otros machos menos fuertes que él.

No es muy alto, no es muy bajo y su IGC[73] está entre el seis y el doce por ciento. Sus marcados músculos son el producto de dos horas en el gimnasio por la mañana y dos horas por la noche. El gimnasio para él es su gran plaza, donde muestra su fuerza bruta y,

---

73 IGC: Índice de grasa corporal.

sobre todo, su habilidad levantando mujeres en lycra. Vitto es el macho alfa de su manada local, el que puede proveer a sus mujeres de sexo, pasión, protección y estatus.

Como todo macho alfa, Vitto necesita un clan lleno de machos beta que lo idolatren y sean conscientes de sus reducidos chances de llegar a ser los alfas de esa manada. Vitto es el rey de la selva: carismático, fuerte e imbatible en cualquier cancha. Su postura siempre es como la de un pavo real: plumaje abierto y pecho erguido. La única amenaza de Vitto son los machos alfa de las otras manadas, por lo que de vez en cuando debe dar golpes, puños y patadas para defender su territorio, a sus hembras y a sus betas.

Vitto siempre se aparea con las mejores hembras. Su clan se lo permite y lo celebra, porque bien sabe que al lado del enfermo come el alentado. Cada vez que van al bar local, Vitto, Leo, Boris y Mendoza, juegan "copulabolos". Vitto siempre le apunta a hacer un *split*, la jugada en la que se deben dejar parados los dos pinos más difíciles de derribar: él y la hembra con mejor material genético para aparearse.

Entonces, Vitto entra al lugar, escoge a la hembra, la señala, reserva y bloquea. Su clan lo anima a ir por ella y él se lanza al ruedo. Una vez Vitto corona, Leo, Boris y Mendoza saben que su líder tiene polvo asegurado, y salen a recoger los pinos derribados, que suelen ser los más débiles y menos atractivos. Todos intentan hacer moñona. Esa es la ley de la selva y de los "copulabolos". Mendoza suele llegar hasta primera base porque está casado con Pamela, pero, como él mismo lo dice "yo soy hombre y debo alimentar mi ego. Puedo ser infiel, pero nunca desleal con mi mujer".

La vida de Vitto parece fácil, pero no lo es. Lleva años perfeccionando sus técnicas y enseñándoselas a sus beta para que todos coman mejor. Porque bien se sabe que un pueblo bien alimentado es más próspero y fuerte en la batalla. Para llevarse a su presa, Vitto no sólo debe quitarse la camiseta y mostrarle sus músculos. Debe ser bueno para leer todas las señales y en pocos segundos debe ser capaz de definir la técnica que utilizará: ¿mi presa tiene *daddy issues*?

¿Baja autoestima? ¿Es de las que está acostumbrada a que todos los manes le caigan? ¿Tiene novio? ¿Está abierta al apareamiento? La respuesta a este rápido análisis le dará el procedimiento a seguir, y de su buen desempeño depende su éxito y la supervivencia de su clan. Pura física nuclear. No es fácil ser Vitto.

EL DEBER SER DE LOS HOMBRES

» EL HOMBRE PROPONE

¿Cuántas veces no hemos escuchado eso de "el hombre propone y la mujer dispone" para dar a entender que la última palabra la tienen las mujeres? Pero lo curioso es ver que el significado original de esta frase que hoy hace parte de nuestro argot es bien diferente. Originalmente era un proverbio bíblico que decía "el hombre propone, Dios dispone", indicando que la voluntad de los hombres estaba supeditada a la voluntad de Dios. Pero después se le metió una costilla extra y corruptora: "el hombre propone, Dios dispone y la mujer descompone". Y esa descomposición se transformó en la frase que hoy conocemos: "el hombre propone y la mujer dispone", indicando que ya los hombres no estaban supeditados a la voluntad de Dios sino a la de las mujeres. Cosa linda y fascinante que es el lenguaje, ola.

» PROTECTOR Y PROVEEDOR

Nos han vendido la idea de que para ser hombre, un hombre debe cumplir con muchas cosas: debe ser galante, caballeroso, exitoso, viril, fuerte, ser un buen polvo. Si no solo es un "gran hombre" sino que sacó el premio gordo de ser el macho alfa de la manada, también debe ser fuerte, alto, hablar duro y ser carismático para lograr ser seguido por los otros machos de su manada. En estos tiempos de modernidad y post-Revolución Industrial, la fuerza bruta ha sido reemplazada por el carisma. Ni siquiera la inteligencia. El carisma. Si no vean las elecciones para Alcalde de Bogotá en 2007.

Las condiciones que honran a los "grandes hombres" van dirigidas a una supuesta condición básica del género masculino: ser el protector. Por eso es que el cuento de la damisela en aprietos tiene tanto sentido aunque queramos quitarnos ese estereotipo de la cabeza, así sea a batazos. Podemos creernos muy evolucionados pero aún mantenemos muchas de nuestras funciones primitivas. Cambiamos las cuevas por las oficinas y los vagones de Transmilenio, pero la esencia se mantiene, aunque luchemos en su contra.

Es tan claro y primitivo el rol protector del género masculino, que hasta algunos biólogos han pasado su carrera entera tratando de demostrar que existen diferencias entre los sentidos de los hombres y las mujeres en los que se evidencia esta naturaleza masculina. Algunos concluyen, por ejemplo, que las mujeres perciben más colores que los hombres, y los hombres tienen una mejor visión para percibir movimientos y distancias. Así que las mujeres no seríamos descachadas y descoordinadas porque ajá, y los hombres no tendrían problemas para escuchar porque ajá. A esto le agregamos ideas que aparecen cada tanto en forma de *best-sellers* tipo *Los hombres son de Marte y las mujeres de Venus*, o "Por qué los hombres no escuchan y las mujeres no entienden los mapas". Al parecer somos diferentes y nos dejamos llevar por instintos primitivos, aunque hayamos ido a la luna, combatido las infecciones e inventado los drones. Pero, aunque amparados por investigaciones, estos determinismos biológicos suenan a los cuentos contados por Daniel, Jeremías, Isaías, Ezequiel y compañía en el ya mencionado libro más vendido del mundo y que tanto dolor e injusticia ha causado.

Además de protector, el hombre debe cumplir con su rol de proveedor.

INT. LABORATORIO GUSTAVO FRING- DIA

    (...)
    WALTER WHITE
    Lo siento. La respuesta sigue
    siendo no. He tomado una serie de
    muy malas decisiones y no puedo
    tomar otra.

    GUSTAVO FRING
    ¿Por qué tomaste esas decisiones?

    WALTER WHITE
    Por el bien de mi familia.

```
GUSTAVO FRINGE
Entonces no fueron malas
decisiones. ¿Qué hace un hombre,
Walter? Un hombre mantiene a su
familia.

WALTER WHITE
Esto me costó mi familia.

GUSTAVO FRINGE
Cuando tienes hijos, siempre tienes
familia. Ellos siempre serán tu
prioridad, tu responsabilidad. Y
un hombre, un hombre provee. Y lo
hace aún cuando no sea apreciado,
o respetado, o incluso amado. Él
simplemente lo soporta y lo hace
porque es un hombre[74].
```

Revisando muchos sitios en Internet que hacen referencia a este pequeño diálogo de Gus Fringe, hay bastantes personas que lo toman como un discurso misógino. Porque Fringe expone una definición de "ser hombre" que ha estado presente durante siglos en la cultura occidental, propia del discurso masculino hegemónico: el hombre provee.

Esta idea del hombre proveedor siempre ha sido parte de nuestro imaginario colectivo, aunque las presiones y necesidades de la sociedad en la que actualmente vivimos obliga a replantearnos esto, pues vivimos en un mundo en el que las líneas se difuminan cada vez más.

---

74 Breaking Bad. Capítulo 3 "Más". 2010. Walter White es el protagonista de la serie, un profesor de química de colegio, macho beta de la manada, que es diagnosticado con cáncer y decide ponerse a cocinar metanfetaminas para pagar su tratamiento y dejarle una herencia a su familia. Pero se le sale un poco de las manos y termina convirtiéndose en "Heisenberg", el don don del *meth* y se encuentra con Gustavo Fringe, dueño del lavadero "Los Pollos Hermanos", quien termina siendo uno de sus "socios". Fringe debe convencer a Walter de que siga en el negocio que está regio y recurre al argumento del rol del hombre proveedor.

Tanto las mujeres como los hombres podemos ser los proveedores de una familia.

¿Quién se queda en la casa? ¿Alguno de los dos debe quedarse en la casa? ¿Quién cocina? ¿Los dos cocinan? ¿Quién cuida a los niños? Un hombre puede aprender a cocinar y a tender una cama. Una mujer puede estudiar, trabajar y manejar su propio dinero. Ya bien lejos estamos de esa realidad que le tocó a nuestras abuelas como para pensar que una mujer necesita buscarse un tipo que la mantenga y el hombre, una mujer que le prepare la comida. Se trata de crear un equipo en el que cada parte juegue en una posición, sabiendo que el delantero puede ser arquero en algunos partidos y viceversa.

Como ya lo hemos dicho antes, nosotras creemos vehementemente que el lugar por definición de la mujer no es la cocina, ni el de los hombres la calle y la oficina. Cada vez son más los hombres que prefieren quedarse en la casa con sus hijos para conocerlos, cuidarlos y estar el mayor tiempo posible con ellos, y no estar metidos en una oficina ocho o más horas al día para cobrar un cheque, echarle los perros a la secretaria y llegar a dormir a la casa. Hay un gran valor en estos hombres. Porque la paternidad para ellos también es importante y la historia está cambiando.

Los hombres hoy están siendo víctimas de su propio invento. Basaron su poder en el dinero y la consecución de éste, entonces cuando pierden su trabajo es un drama emasculador que afecta su autoestima; o cuando la mujer gana más, se vuelven a sentir emasculados. Es un peso pesado que no tendrían que cargar si desde el principio hubieran hecho las cosas bien y hubieran tratado de construir democracias en lugar de dictaduras.

» QUE SEA BOBO PERO NO MARICA

En la madrugada del 6 de julio de 1976 nació Boris. Su padre, don Esteban, como obligaba a todo el mundo a llamarlo, entró a la sala de parto y por primera vez vio a su hijo. Le agradeció al cielo y a su esposa que le hubiesen enviado un varón, que además tenía diez dedos en las manos y diez en los pies. Nació un poco arrugado, con la cabeza un poco aplastada y un montón de pelo que lo hacía tener un aspecto un poco severo. Porque no nos digamos mentiras, Boris era un bebé feo, feo, feo. Don Esteban no es que fuera el hombre más agraciado del planeta y el pobre Boris salió igualito.

Dos años más tarde don Esteban volvió a repetir la escena: entró a la sala de parto, vio a su segundo hijo, se aseguró de que tuviera pipí y le agradeció al cielo y a su esposa por haberle entregado un segundo varón que pudiese continuar con su legado y su apellido. Boris y Alvarito crecieron como buenos hermanos, pero Álvaro siempre fue el preferido de don Esteban, porque al pobre de Boris le faltaban unos cuantos dedos de frente.

Los dos hermanos entraron a la universidad y Álvaro se encontró con otro mundo, en el que podía ser libre. Así que decidió salir del clóset y después de varios intentos finalmente encontró la valentía para decirle a su papá que le gustaban los hombres.

El mundo de don Esteban se vino al piso. ¿Cómo era posible que un hijo suyo, carne de su carne, terminara siendo marica? Don Esteban no pudo con eso, así que prefirió alejarse del que alguna vez había sido su hijo preferido. Era una deshonra para su familia, un insulto hacia él, una enfermedad sin cura. Así que sin tener otra opción, don Esteban decidió reconectarse con Boris, a quien siempre había considerado como una causa perdida. Porque Don Esteban prefería tener un hijo bobo que maricón.

Ser homosexual no es ni un pecado, ni una desviación, ni mucho menos una enfermedad. Puede parecer absurdo decirlo, pero lo absurdo es que todavía exista gente que crea estas sandeces. Y aún más, que nuestra sociedad continúe etiquetando y denigrando —consciente o inconscientemente— a aquellas personas que se salen de la norma *impuesta por quién sabe quién para privilegiar la supervivencia de la especie. Pero —otro newsflash— el mundo ya está tan poblado que no necesitamos que hombres y mujeres se obliguen a gustarse los unos a los otros para reproducirse. Bendita sobrepoblación que nos permite hacer lo que se nos viene en gana —menos respirar aire puro, pero ese es otro tema que le dejamos a Al Gore—. Fin del hipervínculo.*

En un mundo en el que lo único que tiene que importar son las ideas, poco debería importar si alguien es gay, negro, mujer, heterosexual, enano, gordo, cojo, ojiazul, transgénero, etc. Así que no, no entendemos por qué la primera referencia de alguien debe ser "es gay", cuando no andamos por el mundo presentándonos como heterosexuales. No entendemos a estos neo-oscurantistas cuando dicen que la inclinación sexual de alguien lo hace más o menos apto para desempeñar una labor en un cargo público, pedagógico e, incluso, ser padres. Para la información de todos, las noticias están llenas de eventos en los que un padre heterosexual viola a su hija o una madre también heterosexual golpea a sus hijos hasta matarlos. La maldad no es un tema de inclinación sexual o de género.

Insistimos: nadie va por el mundo diciendo "te presento a Charlie, mi amigo hétero". "Ella es Susana y es súper divertida porque es *estrei*[75]". Entonces, ¿por qué seguimos cayendo en la trampa de "ay, es que me voy a ver con mi amigo gay", indicando falsamente que son tan de mente abierta e incluyentes que tienen un amigo gay? ¿Como si los miembros de la comunidad LGBTI fueran artículos de colección? "Soy tan *cool* y *hipster* que casi todos mis amigos son gays". Bah. ¡Cacca di toro castrato!

Cacca di toro castrato

Así como le tiramos popó de toro a los que insisten en presentar a su amigo gay como su amigo gay, le tiramos bolsas de popó a los que defienden la homofobia. A los que repudian a los que se sienten atraídos por las personas de su mismo sexo, que los ven como "débiles" o "menos", como si fueran una amenaza contaminante. A los que repudian "el catre compartido" por dos hombres o por dos mujeres, como si fuera de su incumbencia lo que sucede debajo de las sábanas de cualquier pareja.

Un hombre homosexual no es un "hombre de mentiras ni un hombre a medias"; ni una mujer homosexual es un macho en el cuerpo de una mujer.

Porque, finalmente, en un mundo en el que ya no somos llamados a reproducirnos, y las ideas pesan más que cualquier rasgo de la personalidad, a quién nos comemos no debe importar. No nos hace ni más, ni menos. Esa es otra carga pesada inventada por los hombres, y que ya les está quedando grande. Pregúntenle a tanto macho enclosetado.

---

75 En referencia a *straight*, pero es que flipamos con el *espanglis*.

» SEA MACHO, NO LLORE

"¿Por qué llora?", preguntó el periodista.
"Los hombres también lloran", respondió James Rodríguez[76].

Vitto ha roto muchos corazones, pero también le han roto el suyo. Y ese corazón roto tiene nombre propio: Dalila.

Antes de convertirse en el macho alfa de la manada y cambiar las camisas de cuadros por las camisetas blancas talla 12 de niño, Vitto creyó conocer el amor y se entregó a él. Hizo planes en su cabeza, le puso nombres a sus tres hijos varones e hizo una lista de todas las actividades que haría con ellos y las lecciones que les daría en su vida. Pero ese sueño se derrumbó el día que se encontró con Dalila, una mujer igual a lo que él se convertiría años más tarde.

Cuando se enteró de que él no era el único macho en la vida de Dalila y entendió que no había medio chance de que se reprodujera con ella, Vitto puso en práctica decenas de técnicas que había aprendido viendo televisión: le llevó chocolates, flores y le dio serenata con grabadora: *"Hey there Delilah, I know times are getting hard. But just believe me girl, someday I'll pay the bills with this guitar"[77]*. Pero el pobre Vitto no sabía ni tocar la pandereta.

Dalila nunca le paró bolas y le restregó sus conquistas en cada chance que tuvo. Así que un día después de mucho llorar en solitario, Vitto contuvo sus lágrimas y recordó lo que su mamá y su papá le dijeron tantas veces cuando era niño: "los hombres de verdad no lloran".

Inmediatamente Vitto salió a renovar su suscripción en el gimnasio.

En *Dulce desafío*, Lucero Sandoval (Adela Noriega) lloró a moco tendido hasta no poder más. Pero nunca, nunca, vimos a Enrique Toledo (Eduardo Yáñez) hacerlo. Ni a Chuck Norris, ni a Steven Seagal, ni a todos esos símbolos de la virilidad.

---

76   Lo dijo James Rodríguez, cuando Colombia fue eliminado del Mundial 2014 por Brasil.

77   "Hey there Delilah", Plain White T's. 2006.

Las telenovelas nos vendieron la idea de que la mujer es vulnerable y volátil, y el hombre estoico y racional. Pero se nos olvida que grandes personajes históricos masculinos han llorado, y mucho, como Aquiles con la muerte de Patroclo.

Es que esta idea de que los hombres no lloran es relativamente nueva. Durante el romanticismo era aceptado, incluso esperado, que los hombres lloraran. El llanto era una prueba de la sinceridad, honestidad y la integridad de un hombre hacia su amada. Así como Efraín, todo un macho enamorado de su tibia María. Es que alguna vez llorar fue de héroes y de dioses. Pero después de la Revolución Francesa y la prevalencia de la razón todo cambió. Los que lloraban eran vistos ya no como hombres virtuosos e íntegros, sino como manipuladores y falsos. Fue así como los cambios históricos fueron llevando a crear el ideal del "macho sin lágrimas" que conocimos en el siglo XX.

Nosotros que hemos vivido entre el siglo XX y el XXI, cuántas veces no hemos escuchado a una mamá o a un papá diciéndole a su hijo "no chille, que los niños no lloran. *Sea macho*". Así que mejor que el rol quejumbroso lo asuman los que sí pueden demostrar sus sentimientos, aquellos que deben ser salvados en una tragedia: los niños y las mujeres.

Porque los hombres no lloran. Los hombres no pueden ser débiles ni sensibles, o si no que lo digan Mario Cimarro, The Rock, Hulk Hogan o Bruce Willis. El llanto de un hombre en público sólo es permitido cuando expresa su frustración en una competencia deportiva, cuando está borracho o cuando se le muere la mamá o el perro. De resto, que lloren en la casa, solos y sin pote de helado ni cobijita de cuadros.

Popó

de toro
con
moscos

Por ello un hombre que llora es visto como un pusilánime que se aleja drásticamente de lo masculino y se acerca a lo femenino, *ergo*, se convierte en un "pobre maricón". Porque si la palabra preferida para insultar a una mujer es "perra", nada mejor para insultar a un hombre que feminizarlo. ¡Popó de toro con moscos!

Sabemos que el llanto es liberador, casi tan liberador como salir a batear televisores, pero sobre todo, es una necesidad fisiológica, como ir al baño. El ser humano necesita tener válvulas de escape. La rabia, la frustración, el dolor, el estrés y la angustia, deben salir por alguna parte. De lo contrario nos convertimos en una olla a presión que cuando explota es capaz de salir a matar. Así que, si el llanto es una de esas válvulas de escape, ¿por qué nos han enseñado que los hombres no pueden llorar? ¿Es que acaso las únicas opciones para "liberar" que tienen los hombres son darse puños los unos con los otros, hacer deporte o tirar como maniáticos? ¿Por qué los hombres, que lloraron harto cuando eran niños, cuando crecen se les quita ese "privilegio"? ¿Qué tal que un día nos dijeran, "ay no, ya cumpliste catorce entonces ya no puedes volver a hacer pipí"? ¡Popó de toro!

Popó

de toro

Esta premisa cultural ha convertido a los hombres en una suerte de discapacitados emocionales. Y en este sentido, las mujeres tenemos una ventaja y superioridad sobre ellos, porque se espera que nosotras lloremos y seamos volátiles. Esa superioridad se puede llegar a entender como una "hipotética madurez emocional" representada por la mujer. Porque la mujer es emocional y el hombre racional, dice el estereotipo.

"Con las lágrimas el hombre no sólo se humaniza, sino que logra aproximarse a la hipotética madurez emocional representada por la mujer. Esa suposición está dando lugar a un llanto masculino desconcertado y confuso. Al hombre se le exhorta a llorar para que de ese modo purgue su dominio secular. Y el hombre que ha aprendido la lección sabe fingir el papel de sensible, de soltar convincentes lágrimas de cocodrilo que ahora funcionan bien en los rituales de cortejo"[78].

EL MACHO ALFA Y LAS TAREAS PARA MUJERES

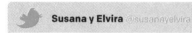
Susana y Elvira @susanayelvira

Amigo, no se te va a desinflar un pectoral por hacer una pinche sopa.

Macho alfa/neandertal/gamín que se respete debe tener su cabeza bien dividida entre lo que es macho y lo que no, y en su estúpido y limitado conocimiento considera que hay labores para mujeres y labores para hombre. Y que éstas son exclusivas. Por ejemplo, así como las mujeres tenían acceso vetado a los barcos comerciantes en tiempos coloniales, deben seguir teniéndolo en los talleres de mecánica, la manifestación moderna de la piscina de testosterona.

El macho alfa sabe aprovechar sus "privilegios estructurales" para usar tal selectividad a su acomodo. Porque si las mujeres tienen vetado el acceso a los talleres y campos de juego de fútbol y *rugby* (solo pueden estar en la periferia como aguateras y porristas en ombliguera), ellos sí tienen acceso a las peluquerías —un sitio que el macho compartimentado debería considerar exclusivamente femenino—. *Porque una interesante faceta de los neandertales es que pueden ser metrosexuales, pintarse las uñas con esmalte transparente y usar más mascarillas que cualquier Barbie humana croata. Pero no, eso no es raro, porque en el*

---

78   Romera, José María. "Lágrimas de mujer, lágrimas de hombre". 2011. *El Correo*. Web. En www.elcorreo.com

limitado libro de "cómo ser un neandertal", el neandertal pone las condiciones. Fin del hipervínculo.

¿Y cuáles son los espacios solo para mujeres? La cocina, la zona de la lavandería, y todo lo que tenga que ver con limpieza del hogar y la de los hijos. Un neandertal cree que se le desinflan los pectorales si hace una sopa, o que la aspiradora es su peor enemiga. Si creen que estamos hablando de otra época, les presentamos la historia del *neandertal que no quería tender la cama.*

Vitto adolescente se fue de paseo con la familia de su novia —a la que llamaremos Susana, para efectos narrativos—. Corría 2006 y Vitto tenía veintitrés años. Cuando llegaron a la finca de los papás de Susana, supo que dormiría solo en una habitación, lejos de los brazos de su amada. Los papás de ella eran bien tradicionales y no concebían que su pura y virginal hija durmiera con un hombre bajo su propio techo.

Cuando Vitto se estaba acomodando, Susana llegó con un juego de sábanas y los tiró sobre la cama en la que él dormiría. ¡Oh macó! La ira de Aquiles por la muerte de Patroclo fue un picnic al lado de la de Vitto. ¿Acaso Susana esperaba que él tendiera la cama? Pero cómo, si él era el invitado y, además, ¡nunca en su vida había tendido una cama!

—¿Cómo así que nunca has tendido una cama? —preguntó sorprendida Susana.

—Pues, eh, eh... pues siempre hemos tenido empleada —respondió Vitto furioso.

—¿Y los domingos?

—Pues no la tiendo, o mi mamá o mis hermanas me la tienden.

—Lo siento compañero, tus mamás y tu hermana no están aquí.

—No Susana, ven para acá, no voy a tender la cama.

—Pues dormirás sobre el colchón.

La furia neandertal de Vitto fue la que quemó las alas de Ícaro, no el sol. Subió la voz, sin importarle que los papás de Susana estuviesen en el cuarto del lado.

—¿Entonces no me vas a tender la cama?

Susana, temiendo que su papá macho proveedor de la manada oyera y la ira de Vitto metrosexual se convirtiera en una lucha de titanes, le bajó el nivel a la discusión tomando las sábanas limpias y tendiendo la cama con una ira silenciosa que le generaron un par de células cancerígenas en el cuerpo.

El martes luego de regresar de la finca Susana terminó con Vitto, quien no había entendido qué había hecho mal, si él era todo un caballero.

—Lo que pasa es que yo te traté bien y tú no estás acostumbrada a eso —fue la frase de despedida de un confundido Vitto.

» "NICE GUYS FINISH LAST"

¿Qué es ser un "hombre bueno"? ¿Un hombre trabajador, fiel, leal, responsable y respetuoso? ¿Un bobo que deja que se la monten? En el salvaje mundo masculino, muchas veces el bueno pierde y "el malo" es el que gana. Es el que se lleva a la chica. Es el que cierra el negocio.

"Los hombres buenos terminan de últimos", reza el dicho. *Urban dictionary* define esta frase de la siguiente manera: "Significa básicamente que usted no va a tener sexo en su vida si no trata a las mujeres como una mierda. El hombre cortés y de buenas maneras que trató a las mujeres como realeza cayó en cuenta demasiado tarde de que los hombres buenos terminaban de últimos"[79]. Por absurda que parezca esta posición, pareciera ser una premisa cierta para muchos. Una verdad absoluta.

Alguna vez yo, Elvira, escuché esta conversación entre dos amigos: "Es que esa vieja lo echó porque usted la trataba muy bien. A las viejas hay que tratarlas mal, hacerlas sufrir, celarlas, que sepan que uno no está con ellas porque no haya más viejas en el mundo. Por guevón es que las viejas se la montan". Mis oídos sangraron un poco.

Le preguntamos a Federico, Arturo y a Andrés qué pensaban sobre esto. ¿Los tipos buenos llegan de últimos o simplemente no llegan? Y su respuesta fue: "No es que no lleguen por buenos. Sino por aburridos".

El problema es cuando confundimos un "hombre bueno" con un bobo sin iniciativa. Ese que dice a todo que sí porque cree que es lo

---

79   "It basically means that you will never have any sex whatsoever in your life if you don't treat women like shit. The polite and well-mannered man who treated women like royalty realized too late that nice guys finish last". B Y A. "Nice Guys Finish Last". *Urban dictionary*. 2003. Web. En www.urbandictionary.com

que las mujeres queremos. El tipo que por seguirle la cuerda a la vieja y tener un chance con ella le dice que a él también le encanta acampar así sufra de aracnofobia, sea alérgico al pasto, a las abejas y se brote con el agua no tratada.

Nosotras no queremos un tipo que a todo nos diga que sí, que nos deje ganar en todas las discusiones, que nos de gusto en todo. Eso se llama "aguas tibias" y no hay nada más aburridor que la tibieza.

Un hombre bueno no es un hombre tibio. Por el contrario, un buen hombre es un gran hombre. Que tiene iniciativa. No es de los que cuando invita a una vieja siempre está preguntado "¿qué quieres hacer?", sino que se atreva, tenga un plan, la lleve a hacer *bungee jumping* y espera que a la vieja le parezca un buen plan. Y si a la vieja le parece un plan de terror, pues al menos trató.

> UN HOMBRE BUENO NO SE CONFORMA NI SUPLICA POR AMOR O POR ATENCIÓN.

Un hombre bueno es un hombre que trata bien a la gente, a los meseros, al taxista, al cajero del banco, a la empleada de servicio, al portero, a su mejor amigo, a los animales, a sus empleados, a su mamá. Y que defiende sus principios porque los tiene. Es un hombre que tiene los dos pies puestos sobre la tierra y sabe lo que quiere y cómo conseguirlo. Un hombre bueno no se conforma ni suplica por amor o por atención. No está con una mujer porque fue la única que le paró bolas. Un hombre bueno es un hombre auténtico, que no se vale de estrategias, ni se va de puños en un bar porque otro tipo miró a la vieja con la que estaba. Un hombre bueno es un hombre generoso, que sabe que las cosas no son gratis, sabe respetar, sabe compartir, sabe dar espacio cuando el otro se lo pide, sabe cuándo retirarse y cuándo atacar, sabe aceptar que perdió, sabe decir que no, sabe pedir perdón, sabe disfrutar y celebrar los éxitos ajenos, sabe que no es mejor que otro por la cantidad de ceros que tenga en su cuenta bancaria. Sabe que la lealtad y la fidelidad van de la mano, pero que son dos cosas diferentes.

El hombre bueno no es quien le hace el juego al consumismo y trata a las mujeres como trofeos. No es el que cada conquista es una competencia de billeteras y testosterona; no es el que levanta a punta de regalos caros y no entiende porqué ella no tiene un orgasmo cada vez que ve un diamante. Un hombre bueno sabe el lugar que tienen la cortesía y la generosidad de espíritu en el mundo, aunque le hayan hecho creer lo contrario.

Eso sí, hombre bueno: espera por favor a triunfar en la segunda mitad de tus veinte, cuando las mujeres ya entendemos esto, luego de pasar nuestra adolescencia y años posteriores dándonos contra las paredes persiguiendo a truhanes tipo Dylan McKay.

Puede que los hombres buenos rían de último, pero ríen mejor, lo juramos.

3. ¿LOS HOMBRES SON EL NUEVO SEXO DÉBIL QUE NO HA PERDIDO SU PODER?

"El problema que vemos es que nuestra cultura todavía pone a las mujeres primero en muchas formas, y los hombres vienen de último", le dijo al *Huffington Post* Paul Elam, líder de "A voice for men", un grupo que defiende los derechos de los hombres[80]. ¡Popó de toro!

Popó
de toro

Los movimientos a favor de los "derechos de los hombres" están tan demonizados como cualquier colectividad que persigue la supremacía, pues todavía no estamos listos para reconocer a los hombres como compañeros de sufrimiento y sumisión, no mientras el nuestro siga siendo un sistema claramente patriarcal que sigue teniendo mucha, mediana o alguna ventaja en todos los aspectos clave de nuestra vida.

Elam está equivocado porque ni siquiera en sociedades de países desarrollados como el suyo las mujeres tienen las de ganar o, al menos, un trato igualitario. No todavía, y por ello todavía cada lucha en busca de la igualdad y la preservación de los derechos de las mujeres es necesaria y no puede ser entendida como una vulneración de los derechos de los hombres. Es como si Anakin Skywalker se hubiera quejado ante Amindala por los recursos que la República le estaba dando a los Jedi para combatir a los Sith, con el argumento de "pobres Sith, ellos son también humanoides y merecen una que otra arma para su lucha". Los hombres no son malvados Sith y los derechos individuales no son espadas láser, pero entendieron el punto. En algún momento los Jedi necesitaron de todos los recursos posibles para no permitir que el lado oscuro de la fuerza reinara.

80 Abbey-Lambertz , Kate. "Controversial Men's Rights Conference Sparks Backlash". *Huffington Post*. 2014. Web. En www.huffingtonpost.com

» "HOMBRE" TAMBIÉN ES UN GÉNERO

No se trata de reinventar la rueda. Por eso, mejor dejamos que Jackson Katz[81] lo diga en sus propias palabras:

Existe cierta confusión sobre el término "género", así que déjenme ilustrar la confusión a través de una analogía: hablemos por un momento de raza. En los Estados Unidos cuando escuchamos la palabra "raza", mucha gente cree que significa afro-americano, latino, asiático... Muchas veces cuando la gente escucha el término "orientación sexual", cree que significa gay, lesbianas, bisexuales. Y mucha gente cuando escucha el término "género" piensa que significa "mujer". En cada caso, no se le presta atención al grupo dominante. Como si los blancos no tuvieran algún tipo de identidad racial, o que pertenecieran a una categoría o construcción racial. Como si los heterosexuales no tuvieran una orientación sexual. Como si los hombres no tuvieran género.

Esta es una de las maneras como los grupos dominantes se mantienen y reproducen, lo que nos lleva a decir que el grupo dominante

---

81 El Dr. Jackson Katz es uno de los principales activistas anti-sexuales americanos.

rara vez es retado a pensar sobre su dominancia. Porque es una de las principales características del poder y del privilegio: la habilidad de pasar sin ser examinado, careciendo de introspección. De hecho, volviéndose invisible en gran medida en el discurso sobre el asunto que es primordialmente sobre nosotros[82].

VÍCTIMAS Y VICTIMARIOS

Cuando se habla de *violencia de género* se suele entender como el maltrato de los hombres hacia las mujeres. Ataques de ácido, violaciones, violencia intrafamiliar, abuso. Las mujeres como víctimas[83] de los hombres, sus victimarios. ¿Pero por qué se suele sacar de la ecuación a los hombres cuando son víctimas de estos mismos ataques? ¿Acaso un hombre que es violado no es una víctima? ¿Por qué una mujer que es atacada con ácido llega a los titulares de las noticias, pero un hombre que corre con su misma suerte no?

Es cierto que una de las razones que explican la casi invisibilidad de los hombres como víctimas dentro del círculo de la violencia de género es que, primero, los hombres se han eregido como los victimarios; y segundo, esos casos no se conocen porque los mismos hombres que son violentados no denuncian. Porque es un tabú. Prefieren comer callados antes que convertirse en un hazmerreír, mucho más cuando su victimario es una mujer. ¿Cómo es posible que una mujer viole a un hombre? ¡Eso es imposible! ¿Cómo es posible que una mujer le casque a su esposo y que el tipo se deje? Pues no. No es imposible. Que no lo veamos o no nos enteremos, no quiere decir que no exista.

Yo, Elvira, fui víctima de una agresión sexual. Afortunadamente el señor del clima se puso a mi favor y una tormenta eléctrica impidió que mi historia terminara como terminan tantas. Denuncié el hecho, di la descripción de mi atacante y la policía me dijo que lo más probable era que no dieran con él. No sólo porque no había habido una "culminación exitosa", sino porque diariamente eran tantas las

---

82 Katz, Jackson. *Violence against women-it's a men's issue*. TEDxFiDiWomen. 2013.

83 Utilizamos el término "víctima" para fines narrativos, a pesar de ser conscientes de las discusiones generadas alrededor del vocablo como inapropiado, pues el mismo término encasilla a la víctima como una condición perpetua. Víctima es víctima y nunca puede salir de ahí.

mujeres que denunciaban agresiones de este tipo que simplemente no daban abasto para atrapar a estos hombres. Es más, la mujer que me acompañó a denunciar me confesó que ella había sido víctima de violación dos veces en su vida y por eso me dijo que debía denunciar y hablar así no pasara nada al respecto. Semanas después del hecho, me encontré con mi atacante en la calle y no sentí otra cosa que un terror que nunca antes había sentido ni he vuelto a sentir. Durante meses viví con paranoia diagnosticada. Evitaba salir de la casa lo más que pudiera, y cuando lo hacía por obligación, caminaba pegada a las paredes mirando siempre hacia atrás y hacia el piso. Era incapaz de mirar al frente. Sólo salía de día porque la noche me daba pavor.

Sé lo que se siente una agresión sexual. También sé lo que se siente ser puesto en tela de juicio cuando la gente duda de la veracidad de la historia y salen con juicios y estupideces como "¿pero qué hacía caminando sola por la noche, por una calle con iluminación pobre y decide responderle una pregunta a un tipo que sale de la nada?". Es ofensivo, así como lo es los que justifican las violaciones y voltean la arepa diciendo que es culpa de la mujer por "vestirse provocadora-mente". El caso de la carne en la ventana que se come el gato.

También ofenden los que se autoproclaman como víctimas de abuso para sacar provecho de situaciones, sea por pura y física ig-norancia o por maldad. Por estupidez e ignorancia, como el caso de la bloguera que se autoproclama "The Queen of Feminism" (La reina del feminismo) que escribió en su blog:

Creo que fui violada anoche. O asaltada sexualmente. Estaba con este tipo con el que me doy besos regularmente desde mi terminada, pero el tipo realmente no me gusta y sólo quiero que él me satisfaga, ¿saben?

Así que estábamos tirando como siempre... Pero de repente me volteó y empezó a penetrarme por detrás "doggy style". Él siguió.

Ni una sola vez me preguntó si estaba bien cambiar de posición. ¿Qué hago? No quiero que me odie porque tengo un "crush" con su amigo churro, pero la violación no está bien. Le dejé continuar y los dos nos vinimos, pero es natural tener sensaciones incluso cuando has sido violado. No puedo ni pensar[84].

Conocemos casos en los que los hombres son manipulados y condenados injustamente para sacar provecho, usualmente monetario, de una situación. Como una mujer que denunció a su ex esposo por maltrato para que le pagara más dinero de su cuota de manutención. El ex esposo fue declarado culpable de inmediato sin mayores aclaraciones o investigaciones que le permitieran defenderse. O el caso de Lucas, el protagonista de la película *The Hunt*. Este psicólogo de guardería infantil es falsamente acusado de abuso sexual por Klara, una pequeña niña que además es la hija del mejor amigo de Lucas.

---

84 Queen of Feminism . "Be Careful Of 'Switch Rape'". 2014. Web. En lil-purrfect-femme.tumblr.com

Ella lo hizo tras sentirse rechazada cuando trata de darle un beso en la boca y éste la corrige diciéndole que esas cosas no se hacen. Como consecuencia Lucas es despreciado, difamado por su comunidad y acusado de pedófilo. Nadie cree su versión porque, como lo dice la directora de la guardería, "los niños nunca mienten".

Ya lo dijimos antes: la maldad no es un tema de inclinación sexual o de género. Víctimas podemos ser todos y victimarios pueden ser tanto hombres como mujeres. Lo importante es romper el silencio, empoderar tanto a mujeres como hombres a denunciar, a hablar, a no permitir que el abuso se siga perpetuando, que hay que buscar justicia pero no abusar de ella poniendo etiquetas injustas y difamatorias que no le corresponde a ciertos individuos.

Y volvemos a Katz:

Cuando te metes en el cuento caes en cuenta de que hay presiones sobre los hombres. Hay restricciones dentro de la cultura de grupo de los hombres, y es por ello que debemos alentar a los hombres a que rompan esas presiones. Y una de las maneras de hacerlo es decir que hay un montón de hombres que se preocupan profundamente por estos temas. (...) Pero preocuparse no es suficiente. Necesitamos más hombres con las agallas, el coraje, la fuerza y la integridad moral para romper nuestro silencio cómplice y retarnos los unos a los otros. Y pararnos al lado de las mujeres, no en contra de ellas. Por cierto, se lo debemos a las mujeres, no cabe duda de ello. Pero también se lo debemos a nuestros hijos, a todos esos jóvenes que están creciendo alrededor del mundo en situaciones en las que ellos no escogieron ser hombres en una cultura que les dice que la hombría es de cierta manera. Ellos no tomaron esa decisión. Nosotros, que sí tenemos la opción, tenemos la oportunidad pero también una responsabilidad con ellos. Espero que caminando hacia adelante, hombres y mujeres trabajando juntos puedan empezar a cambiar y a transformarnos, para que las futuras generaciones no tengan que lidiar con los niveles de tragedia que actualmente vivimos a diario. Sé que podemos hacerlo. Podemos hacerlo mejor.

Sí, los hombres se han beneficiado de este sistema patriarcal contra el que las mujeres debemos levantarnos. Incluso los hombres feministas pueden estar privilegiando prácticas sexistas en su vida cotidiana sin darse cuenta. Porque como cualquier sistema, el patriarcado (o la hegemonía masculina como lo llama Raewyn Connell en *Masculinities*) está inmerso en nuestro día a día, con estereotipos, comportamientos, e ideas fijas sobre y en contra de las mujeres. Algunas de estas ya las destacamos en la primera parte y otras las trataremos en la partes 3 y 4 de este libro.

INTERMEDIO

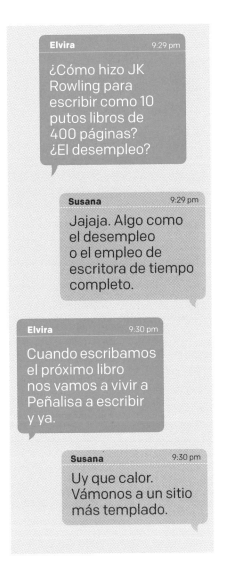

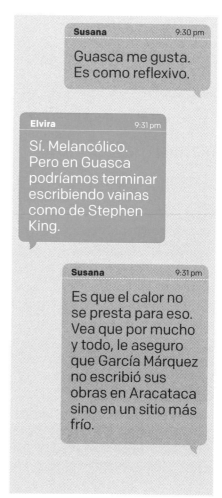

* Fin del hipervínculo.

SOPA DE LETRAS

B	E	T	O	B	A	R	R	E	T	O	A	Q
O	D	G	I	M	R	J	T	D	F	S	L	N
B	F	C	A	V	A	N	B	S	V	H	P	E
A	E	C	O	S	C	R	V	M	O	U	H	A
D	R	N	S	T	N	R	I	T	H	T	T	N
I	B	F	O	P	O	P	T	C	C	T	V	D
E	M	K	C	U	F	L	T	U	A	H	Z	E
Z	O	O	L	E	O	E	O	V	M	E	Q	R
T	H	R	E	V	B	N	E	L	P	F	S	T
L	O	D	T	H	I	S	P	D	T	U	P	A
T	M	Q	S	E	A	E	T	D	M	C	H	L
E	R	G	D	N	C	A	T	R	E	X	I	J

Aracnofobia, Beto Barreto, *feed me*, marica, popó, catre, neandertal, macho, *fuck me*, *shut the fuck*, Vitto, hombre, cetro.

PARTE 3

Lo entendimos todo mal

ESTA LIBERACIÓN NOS JODIÓ

Ya sabemos que se ha esperado algo de nosotras como mujeres: cierto modo de pensar y cierto modo de actuar, dictados por el "papel que nos corresponde en el mundo", arbitrariamente y sin mayor posibilidad de decidir. Las niñas son femeninas, los niños son masculinos, las mujeres son sensibles, los hombres son fuertes y racionales. Si un niño se comportaba como niña, los adultos trataban de decirle al niño cómo ser un niño, de corregir su conducta. *Como si todos los adultos pudorosos y con el don de la verdad fueran el ya presentado Juez Demetrio, una suerte de cura medieval con toga vinotinto de terciopelo y la cara del Juez Doom, con una regla en la mano impartiendo juicios y soluciones, y un cinturón de castidad con espinas en lugar de ropa interior. Fin del hipervínculo.*

Laverne Cox —Sophia en *Orange is the New Black*— nació como hombre en Alabama y su profesora de tercero de primaria le dijo a su mamá que tenía que meterlo —al entonces niño— en terapia porque se portaba como una niña y seguro iba a terminar usando vestidos de mujer en Nueva Orleans, como si eso fuera algo malo. A Laverne le dijeron, entonces, que era pecado que le gustaran los niños, que su mamá no la (lo, en aquel entonces) querría si seguía portándose así, que era problemático ser quién era, y cómo era[85]... La misma historia que hemos oído y que sabemos que en algunos casos termina bien; en otros mal; en otros, concursando en RuPaul's Drag Race; y en otros, convirtiéndose en personajes que asumen lo que son y logran transformar su "deformidad" en su ventaja. Como Buck Angel, "el hombre con coño", la primera estrella porno *mujer-hombre*, activista, conferen-

---

85 Lamour, Joseph. "She Thought They Would Kill Her If They Knew Who She Was. Turns out Shame Is What Kills You". *Upworthy*. Web. En www.upworthy.com

cista y defensor, que ha desafiado a muchos a replantear lo que piensan sobre lo que hace a un hombre, hombre, y a una mujer, mujer.

Hoy las cosas han cambiado. En este momento es más frecuente ver que papás aceptan y apoyan a sus hijos y respetan las decisiones referentes a su sexualidad[86]; que los chistes tipo "le di libertad a mi mujer porque le agrandé la cocina" son menos aceptados en los círculos sociales, y que recibimos menos críticas si decidimos perder la virginidad a los dieciséis. Hoy estamos en una suerte de transición en la que el pensamiento común de nuestra generación (con algunas excepciones) es uno que promueve las libertades y el libre albedrío frente a las decisiones personales. En la generación de nuestros papás, en contraste, las ideas sobre las libertades y el derecho a decidir apenas estaban tomando fuerza, por lo que muchos de ellos crecieron en un contexto lleno de juicios, con ideas arraigadas sobre los roles y las expectativas de género. Y llegaron los *hippies*. El cambio no lo vivieron ellos. Ellos lo presionaron, y ahora nosotros disfrutamos las prebendas conseguidas por ellos, que en nuestra sociedad latinoamericana a veces vienen en forma de cambios parciales con un tufillo a transición que nos confunde. Porque en Latinoamérica prevalece un atraso frente a otras partes del mundo en materia de tendencias sociales. La brecha no ha podido ser reducida tras décadas de neoliberalismo. Como *Manimal*, que nos llegó años después, cuando ya la serie había sido cancelada y la disfrutamos como el mejor y más raro estreno del mundo[87].

1. LA GENERACIÓN T

En diciembre de 1957, Doña Matilde de López se puso su sombrero, agarró su cartera y por primera vez en su vida y en la de todas las mujeres en Colombia, salió a votar.

---

86 Por ejemplo, con el campo de verano para transgénero en Massachussets www.camparanutiq.org

87 Le hemos puesto "Efecto Manimal" a todas esas tendencias que nos han llegado tarde, pero que nosotros consideramos nuevas y las deformamos hasta hacerlas bien autóctonas. Como el *sushi* con plátano maduro.

Años después, su hija María del Carmen salió a protestar por la Guerra de Vietnam. Encontró en los espacios de protesta un sentimiento de libertad y expresión. Y fue así como un buen día vio que las mujeres con las que protestaba empezaron a quitarse el brasier y quemarlo porque esta prenda era un símbolo de la dominación masculina a la cual se oponían. Exigían cambios.

Así que María del Carmen se unió a estas mujeres de avanzada, se quitó su blusa y salió a apoyar los métodos anticonceptivos y luchó en contra del establecimiento religioso que siempre dijo que el fin del sexo era meramente reproductivo. Se opuso a esa idea "oscurantista" y creyó en ello, pues por primera vez en su vida supo que podría decidir si traía hijos al mundo o no, que el sexo podía disfrutarse y que algunos minutos de placer no tenían por qué pagarsen con una responsabilidad enorme el resto de su vida.

María del Carmen luego se casó y tuvo una hija, Julita. Julita creció escuchando a su madre decirle que felicidad completa eran muchos hombres y muchos gatos, unas veces, y otras que una vida feliz y completa podía ser posible al lado de alguien que estuviera dispuesto a conformar un equipo. Que ella no tenía por qué casarse ni tener hijos si no quería. Que sólo lo hiciera cuando estuviera completamente convencida de ello. Que estudiara una carrera, que trabajara, que hiciera su propio dinero. Que dependiera sólo de ella misma, nunca de un hombre. Todo esto se lo decía mientras María del Carmen le hacía el desayuno para mandarla al colegio; mientras esperaba que el marido llegara del trabajo; mientras trataba de estudiar una carrera y criar a tres hijos sin descanso.

Julita creció con toda esta información pero sin saber qué hacer con ella. Viendo que María del Carmen creía ciegamente en todo eso, pero que a pesar de ello llevaba la mayor parte de su vida dependiendo de otros, específicamente en los hombres de su vida, y de su aprobación para saber si podía definirse a sí misma bajo sus propios parámetros.

Entonces, cuando Julita creció se vio obligada a enfrentarse a un mundo diferente al que vivió su madre. Un mundo que le exigía asumir lo que se esperaba en aquel entonces de una mujer y de un hombre a la vez. Un mundo en el que debía trabajar, tener una carrera exitosa, ser madre, esposa, amante, puta, valiente, independiente, simpática, flaca, inteligente, atractiva, seductora, ganadora. Una "mujer liberada".

La nuestra es la generación T, de "tibia" o de "transición". Las mujeres tenemos la autonomía que da el acceso a la educación y al mercado laboral. Esto nos ha permitido ser independientes de los hombres, divorciarnos cuando hemos querido. De hecho, desde que fue creado en 2005, hasta 2010, el número de divorcios se duplicó, pasando de 3.391 en 2006 a 7.163 en 2010[88]. Este fenómeno se le atribuye usualmente a la independencia de la mujer.

Aún así, sabemos que las mujeres seguimos ganando menos que los hombres porque... somos mujeres y nos convertiremos en madres. Gozar de los privilegios que da la igualdad no ha sido garantía para que podamos abandonar otras responsabilidades. Como en una película de Sarah Jessica Parker, *I don't know how she does it*: a la par que trabajamos como los hombres, tenemos que pesar cuarenta y ocho kilos y usar ropa "de moda", además de criar a los hijos, llevarlos al médico, educarlos, alimentarlos. Y, claro, ser buenas esposas.

88   Información suministrada por la Superintendencia de Notariado.

LA HISTORIA DE LUCÍA

Conozco a Lucía desde que yo, Susana, tenía diez años. Antes le arreglaba las uñas a mi mamá y ahora me las arregla a mí. Un día, mientras me limaba la uña del índice izquierdo, me preguntó "¿y cuándo es que regresa su novio?", en referencia a Jacinto, quien llevaba seis meses de viaje. "Regresa en un mes", respondí. "Ay Susi, aproveche, descanse harto antes de que llegue", me aconsejó. "¿Sí, por qué Lu?". "Porque es que después no va a tener tiempo para usted, porque va a tener que pasársela atendiéndolo", respondió ella. "No creo, ¿será?". "Sí, porque vea, yo trabajo aquí de lunes a sábado, el domingo es mi único día libre, y ese día tengo que hacerle almuerzo a mi esposo y a mi hijo, y limpiar la casa; mientras Gerardo [el esposo] ve televisión, pues es su día de descanso. Y si es la una de la tarde y el almuerzo no está listo, comienza a afanar desde el sofá. Entonces el único tiempo que yo tengo para descansar es cuando él se va al pueblo a visitar a sus papás. Él siempre se lleva a Gerardito y yo me quedo, porque es el único tiempo que tengo para dormir. Y eso sí, no hay quién me pare de la cama, ni como por estar descansando", concluyó Lucía.

Psicoanalistas, bienvenidos al día de campo patrocinado por Susana y Elvira. Fin del hipervínculo. El que Lucía trabaje y ayude a pagar las cuentas y sus propios gastos no le ha permitido abandonar sus responsabilidades de ama de casa, ni que su esposo —al que ella ayuda con los gastos— tome algunas responsabilidades en la casa en una especie de sano balance del trabajo compartido. Él sigue siendo el macho alfa de la manada al que la mujer tiene que atender. *Cómo odiamos esa palabra, es que tiene una carga negativa súper pesada: "atiéndame, mamita", "atienda al macho".*

Estamos en una transición porque gozamos de libertades "nuevas" y tenemos que balancearlas con responsabilidades viejas. Y no solo en el trabajo y en la casa, sino en las relaciones con los hombres y con las demás mujeres. Por un lado tenemos la libertad que nos dan los anticonceptivos, y por otro tenemos el grillete impuesto por el "honor" y el "buen nombre". Por un lado tenemos un mar de opciones gracias a la globalización y la independencia económica, y por otro, el reloj biológico nos recuerda a diario que no nos estamos haciendo más jóvenes. Por un lado nos dicen que podemos tomar las decisiones sobre nuestro cuerpo y la forma como lo usamos sexual y estéticamente, y por otro, tenemos a *Jersey Shore* y a *Fashion Police*.

2. TENER EL CONTROL: LAS FRONTERAS ARTIFICIALES

» TEST RÁPIDO

Si lo quiero para algo más que sexo, no se lo doy sino a la tercera cita, porque:

- ¿Qué va a pensar de mí?
- Después desaparece como sombra de ninja
- Así le demuestro que tengo potencial de esposa
- Todas las anteriores

La indignación ha subido un poco de nivel, así que ¡Cacca di toro castrato! ¿Por qué querríamos conservar a un hombre que sólo sale con nosotras en busca de sexo? ¿Acaso en tres citas vamos a convencerlos de que no somos sólo muñecas inflables que respiramos? ¿Tal vez así se quieran quedar con nosotras y luego de un tiempo prudente —y si nos portamos bien— nos hagan el favor de convertirnos en sus esposas?

Cacca di toro castrato

Las mujeres disponemos, pero ¿qué tanto poder de decisión tenemos? Antes era un hombre el que escogía esposa, iba a la casa de los papás de ella y los hombres decidían si lo aceptaban o no (y la mamá sentía un fresquito porque su hija no iba a quedarse pa' vestir santos). La futura esposa tenía poco o nada que ver en la decisión de su matrimonio.

Reconocemos que los tiempos han cambiado. Al menos un poco.

Susana y Elvira

En 1995 tenía un amigo del colegio que se enamoró de mí, Susana. Era un amor obsesivo, de psiquiatra. Cuando comencé a decirle que no quería ser su novia tuvo ataques de ansiedad. Una vez sus músculos se tensionaron tanto que casi ni podía respirar. Sus brazos y manos estaban rígidos. Parecía un tiranosaurio. Otras veces cogía las cuchillas de los cortadores y las apretaba tan fuerte que sus manos sangraban.

En uno de esos ataques, en medio de la clase de álgebra el profesor preguntó qué le pasaba. Él no podía hablar. Entonces alguien dijo "es que Susana no quiere ser su novia". El profesor, en lugar de llamar al psicólogo del colegio, o echarle un grito autoritario al pobre bobo, se volteó hacia mí y me dijo, al frente de todos, "¿y por qué no le dices que sí?". No era el primero, el profesor de química ya me lo había "aconsejado". Igual su mamá, que un domingo llamó a mi casa a pedirme que aceptara a su hijo.

Nadie creyó que era más inteligente buscarle un terapista. No. Yo tenía que acceder a sus peticiones para hacer al niño feliz. Era mi deber.

No puedo asegurar que mi género fuera responsable de tal suposición. Pero mi historia, sumada a la mujer a la que pedían en matrimonio, podrían tener algo en común.

***

» HÁGASE DESEAR, ETC.

Según la cultura popular, estas son frases de mamá. Las nuestras nunca dijeron tal cosa, pero digamos que sí, porque finalmente recibimos la carga de algún lado: "que soy yo la que pone los límites, que los hombres son caballos desbocados que llegarán hasta donde yo les permita, y que si accedo a los deseos de los hombres nadie me respetará". Porque desde siempre mi sexualidad y el respeto que obtengo de los otros han ido de la mano.

¿Pero qué pasa si es la mujer la que quiere experimentar con hombres y mujeres, tratando de definir sus límites a través de la observación directa y participante, tratando de descubrir hasta dónde puede —y quiere— llegar? Entonces es una mujer promiscua.

La promiscuidad es simplemente, por definición, la oposición a la monogamia, y somos nosotros los que le hemos dado la connotación negativa. La promiscuidad supone un peligro para las sociedades cristianas porque va en contra del pilar de la familia.

Esto nos hace pensar en los mandamientos. Estas "leyes" reveladas a Moisés son nada más que reglas de convivencia, pensadas para hacer la vida más sencilla hace más de tres mil años. Claro, no podías desear la mujer del prójimo porque esto crearía conflictos al interior de las comunidades. Si la mujer accedía a las pretensiones de su galán y era infiel, seguro sería expulsada del seno de su familia, y recuerden que las mujeres dependían de un hombre para todo. Era una simple ley para promover el orden y la estabilidad social y económica. Lo mismo que no robar, no matar y cuidar a los padres. Y la fornicación.

Ya Moisés es polvo hace rato y nuestra sociedad sigue tratando a las mujeres dueñas de su cuerpo como hoy la historia de la religión dice que trataban a María Magdalena.

Por cierto, ¿será que Mel Gibson sacará la segunda parte de La Pasión de Cristo? *Es que lo que hay es tela pa' cortar.*

» EN LA TERCERA CITA

En *My Big Fat Greek Wedding* la mamá griega le dice a su hija griega que el secreto está en que su papá crea que es quien toma las decisiones.

TOULA PORTOKALOS
Ma, mi papá es muy terco. Lo que él
dice es lo que es. "Ah, ¡el hombre
es la cabeza del hogar!".

MARÍA PORTOKALOS
Déjame decirte algo, Toula. El
hombre es la cabeza, pero la mujer
es el cuello. Y ella puede voltear
la cabeza en la dirección que ella
quiera[89].

En esta historia nosotras somos el papá griego del Windex: aunque en apariencia somos las que decidimos cómo, cuándo y dónde, la nuestra es una actitud pasiva. Creemos que elegimos, pero simplemente somos una suerte de administradoras[90] de los "deseos incontrolables" de los *siempre-pensando-en-sexo-soy-un-macho-muy-débil-para-controlar-mi-pasión-animal* hombres. O el doctor Strangelove con penebrazo. Así que nosotras decidimos cuándo aceptamos o rechazamos la concupiscencia de ellos. Como al perrito al que no se le puede dejar la comida de un mes servida porque se la comerá toda el primer día. Porque los hombres son perros, no gatos que sí saben dosificar su dosis de alimento. Son perros. O eso nos han querido hacer creer para su conveniencia. ¡Popó de toro castrado!

Popó de toro castrado

Entonces nosotras tenemos que inventar toda suerte de códigos y estrategias para mantenerlos motivados e interesados. Por ejemplo, no darlo hasta la tercera cita, lo cual se ha convertido en una especie de regla en el mundo soltero.

En *How I Met Your Mother*, Robin está en el mercado y debe asegurarse de no apresurarse con los *dates* que realmente le interesan.

---

89   Toula Portokalos: *Ma, Dad is so stubborn. What he says goes. "Ah, the man is the head of the house!"*. María Portokalos: *Let me tell you something, Toula. The man is the head, but the woman is the neck. And she can turn the head any way she wants.*
My fat greek wedding. Film. Dir. Joel Zwick. Perf. Nia Vardalos y Michael Constatine. 2002.

90   Beres, Melanie y Farvid, Pantéa. Sexual Ethics and Young Women's Accounts of Heterosexual Casual Sex. Junio 2010. Volumen 13 (Issue3).

Entonces hace algo que yo, Susana, he hecho muchas veces: no se depila en la primera y segunda cita para que el asco por los pelos le gane a la arrechera. Porque hay que ser prudente a la hora de tirar en este mercado de carne. En el imaginario, los hombres siempre querrán tirar y nosotras somos los que tenemos que atajarlos. Entonces, los hombres —haciendo gala de una pasividad tipo león que espera que la leona traiga el alimento— se sientan, tiran los anzuelos y esperan a ver qué cae. Cualquier pesca es ganancia, mientras que somos nosotras las que tenemos que morder, acercarnos, decir sí, fijar las condiciones —al menos simbólicamente— y ver qué seguimiento le queremos dar a esto: ¿estamos esperando que nos pida el teléfono? ¿Queremos volverlo a ver? ¿Qué hacemos para dejarle todo esto claro? ¡Qué cansancio!

Esto no significa que la forma anterior de hacer las cosas fuera mejor, pues era aún más pasiva e incierta. Pero era básicamente lo mismo: él nos elegía, nosotros jugábamos el juego de la pureza y rectitud, y esperaríamos a ver qué se le antojaba al galán. Siempre a la espera.

3. TENER EL CONTROL: EL SEXO CASUAL

Sexo casual: una relación sexual que sucede sin compromiso, una o más veces. No conocer el nombre de su contrincante, o haberlo(a) conocido en un bar la noche anterior es sexo casual. También lo es si sabe cómo se llama, dónde vive y le ha ayudado a su mamá (la de él o ella) a guardar el mercado. Si no hay compromiso, exclusividad o constancia, es sexo casual. Y para los que creen que el sexo oral o anal no son sexo, les informamos que están equivocados. Solo la puntica también es sexo, sobre todo si los dos están desnudos de la cintura para abajo. Un *fuck buddy* con el que solo tira en el baño del bar, dos veces al mes, también, es sexo casual[91].

Separar a las generaciones entre X y Y (o *millennials)* es confuso, tanto, que los académicos y todos los que piensan en esto, como los expertos en mercadeo, no se han podido poner de acuerdo en cuándo

---

91 Es nuestra propia definición.

comienza una y termina la otra, por lo que X y Y se yuxtaponen. Algunas veces nosotras quedamos en un sánduche rarísimo en el que somos muy jóvenes para ser X y muy viejas para ser Y. La tibieza generacional de la que hemos hablado vuelve a cobrar sentido y a veces adquiere el nombre de "Xennial".

En todo caso, si esta diferenciación sirve para algo, es para marcar tendencias en el consumo y en algunos comportamientos. Se dice que, por ejemplo, los *millennials* confían menos en las instituciones (por ejemplo, los partidos políticos y la religión), tienen un sentido del mundo un poco más amplio por cuenta de Internet y las redes sociales, creen en las libertades individuales (aborto, derechos civiles de las parejas del mismo sexo y legalización de la marihuana, por ejemplo), entraron al mercado laboral en plena recesión postburbuja, por lo que han estado marcados por las crisis económicas y el desempleo, y tienen una idea más liberal frente al sexo casual que sus antecesores de la Generación X. Los *millennials*, como han destacado numerosos estudios y obras académicas objetivas y otras tantas puritanas, han construido una nueva aproximación al sexo y al amor basada en la ausencia de todo compromiso.

Pero nosotras, más que una aproximación post-moderna o neo-pragmática a las relaciones y la sexualidad —como lo han denominado algunos[92]—, creemos que tiene que ver con ganar un control ambicionado, un resultado de la lucha feminista.

Comencemos por las lecturas de los académicos que se retuercen cuando se enteran de que hay adolescentes que hoy tiran con quien se les da la gana, como se les da la gana y cuantas veces se les da la gana, sin pensar en virginidad, esquelas románticas o matrimonio temprano. Y gracias a los condones, tampoco piensan en enfermedades de transmisión sexual, ni en embarazos no deseados. Entonces estos mismos adultos que hicieron de las suyas cuando eran *hippies* crean sus lecturas puritanas y un poco sexistas en las que señalan que el sexo casual es la forma como las mujeres hoy tratan de encontrar el amor[93]. Otros menos... puritanos... sacan investigaciones académicas en las que señalan que para una persona libre de estereotipos y pre-

---

92   Hymowitz, Kay S. *Manning Up*. New York. 2011.

93   Ibid.

juicios el sexo casual es una forma de alimentar su autoestima y de madurar sexualmente[94].

Nosotras nos paramos en la mitad entre ambas interpretaciones.

MEJOR SER PREDADORAS QUE PRESAS

La forma como nos aproximamos al sexo tiene algo de búsqueda de control[95]. Queremos responderle a ese mundo que nos viene repitiendo que no somos libres, que nuestros cuerpo no nos pertenece: "No, yo hago lo que quiero con mi cuerpo y puedo ser tan o más cruel que los controladores hombres". Entonces decidimos que era mejor ser predadoras que presas[96] y ser quienes determinaran las reglas del sexo casual y nos armamos de *fuck buddies* con los que hablamos de comernos sin compromiso, pero con los que fácilmente perdemos al esperar algo más allá de ellos, como quedó demostrado en *Consejos viscerales para casos reales*.

Pero esta "Era neo-pragmática de las relaciones"[97], en la que el amor y todo tipo de emociones nos hacen vulnerables y cero *cool*, es fruto de la liberación feminista mal entendida, en la que "el amor y la equidad son incompatibles"[98], porque así lo aprendimos de nuestras mamás, de los truhanes inmaduros con los que nos metimos en un principio, y de la cultura popular que muestra cómo una mujer enamorada se convierte fácilmente en una víctima. Entonces, para estar libres del yugo, decidimos jugar el mismo juego de los hombres neandertales.

En este sentido, el amor se confundió con unas estructuras sociales y patriarcales que, en últimas, poco tenían que ver con amor, sino que estaban relacionadas con otras realidades sociales.

---

94   Zhana Vrangalova y Anthony D. Ong. Who Benefits From Casual Sex? The Moderating Role of Sociosexuality. En Social Psychology and Personality Science. 2014.

95   Sessions Stepp, Laura. "Unhooked: How Young Women Pursue Sex, Delay Love and Lose at Both". Kindle. Pos. 1107/4839.

96   Ibid., pos. 1024/4839.

97   Hymowitz, Kay S. "The 'L' Word: Love as Taboo". City Journal. 1995. Web.

98   Ibid.

SusanayElvira

Si no nos creen, usaremos a "La celosa" como ejemplo. Es un vallenato que conocimos por Carlos Vives, un grito machista que la haría hervir la sangre a Gloria Steinem y que a nosotras ya nos generó un par de células cancerígenas en el esófago.

Cuando salgo de parranda
muchas veces me distraigo
Con algunas amiguitas
Pero yo nunca te olvido
Porque nuestros corazones
Ya no pueden separarse
Lo que pasa es que yo quiero que descanses
Pa' tenerte siempre bien conservadita.

(...)

Cómo ya tu me conoces
Te agradezco me perdones
Si regreso un poco tarde
Cuando llegue yo a mi casa
Quiero verte muy alegre
Cariñosa y complaciente
Pero nunca me recibas con desaire
Porque así tendré que irme nuevamente.

Negra no me celes tanto
Déjame gozar la vida.
Tú conmigo vives resentida
pero yo te alegro con mi canto.

Si esta fuera la única realidad posible, entenderíamos por qué la mejor alternativa sería usar a los hombres para el sexo y no involucrarnos en una relación estable. Porque si el mercado está poblado por neandertales de este tipo —nosotras sabemos que hay un buen número de estos allá afuera— es preferible hacerse a un Rodolfo para que nunca, pero nunca, venga un idiota a decirnos que les aguantemos sus infidelidades porque, finalmente, nosotras somos las oficiales. *Célula cancerígena y sexo casual 1 - Susana, Elvira y Carlos Vives 0.*

Eso sí, en aras de una justicia que hemos querido defender en este libro, las mujeres no somos las únicas víctimas de este amor mal entendido. Porque en esta Era neo-pragmática de las relaciones los hombres enamorados también son débiles y están subyugados, por eso tienen que cubrir ese amor con la capa de la invisibilidad de Harry Potter, donde la capa es desapego, rudeza, rótulos tipo "la fiera". Porque a los neandertales les priva ponerles rótulos a sus parejas al frente de sus amigos, así mueran de amor. "Es que los machos no somos dominados por ninguna mujer", dice un herido Vitto, porque en su reducido mundo el amor es dominación. Pobres neandertales, a ellos sí que les pesa la máscara. Y la ignorancia.

Pero no, amor y sexo pueden venir de la mano. Pero el sexo no consigue amor. Que eso les quede bien claro.

EL SEXO, EL PLACER Y EL AUTOESTIMA

Enunciados matemáticos (como para meterle ciencia al asunto):
- El sexo casual es igual a más sexo casual
- El sexo casual no es igual al amor
- El sexo casual no consigue amor
- Cuando se sabe que el sexo no consigue amor, el sexo multiplica el autoestima, las feromonas y las endorfinas
- Cuando se cree que el sexo consigue amor, el sexo casual sustrae amor propio y suma frustración
- El sexo tampoco es poder. Contrario a lo que decía Oscar Wilde, "todo en la vida tiene que ver con sexo, excepto el sexo, que tiene que ver con el poder", porque cuando el poder se comparte se anula, en una especie de suma de negativos y positivos donde el resultado es cero. La felicidad.

EL SEXO ESTÁ SOBREVALORADO

En los noventa nos dimos cuenta de que a diferencia de Barbie y Ken, éramos seres sexuales. Ya sabíamos que a los bebés no los traían las cigüeñas y que si uno se acostaba con alguien sin protección podía terminar trayendo una vida nueva a este mundo o contrayendo una trepadora. Íbamos a cine y antes de la película ponían los comerciales de la campaña del entonces Ministerio de Salud "sin condón ni pío". Fue así como crecimos en un mundo en el que el sexo no era una simple función matrimonial con un único fin reproductivo, sino en uno que exaltaba el sexo como una herramienta de poder y de ventas.

Siendo adolescentes, era común ver a los papás comprándoles condones a sus hijos hombres, porque siempre es mejor prevenir que lamentar. Esto es, claro, un embarazo adolescente. Pero ver a una mamá o a un papá entregándole un paquete de condones a su hija era como encontrar un Dodo. ¿Por qué? Porque por muchos avances que hubiéramos hecho para ese entonces, para algunos la virginidad femenina aún era una virtud, los hombres tenían que aprender a tirar, y las mujeres a guardar esa "flor" como si fuera una joya de la corona. Aún en los noventa, los niños eran azules y las niñas rosadas.

Después llegó *Clase de Beverly Hills*, y luego *Melrose Place*, y empezamos a descubrir un mundo nuevo en el que las mujeres conseguían casi todo utilizando herramientas sexuales, y nos presentaron pocos modelos sanos de relaciones que pudiéramos tomar como un referente para nuestra futura salud sexo-afectiva. Todas, en algún momento de nuestra confusa adolescencia, quisimos ser una Kelly Taylor, y tener un Brandon Walsh para unas cosas y un Dylan McKay para otras. Fue entonces que entendimos el valor transaccional del sexo y su importancia como divisa.

Y de *Clase de Beverly Hills* pasamos a otras cosas que seguían metiéndonos en la cabeza que en la vida lo más importante después de la plata era el sexo: *40 días y 40 noches*, *Amigos con derechos*, *Pretty woman*, *Titanic*...

Sí, el sexo es importante pero no es lo único, ni mucho menos el camino asegurado hacia el amor. Porque hay sexo de sexo, sexo de desparche, sexo de amor, sexo de reconciliación, pero en la vida hay mucho más que sexo.

El sexo está sobrevalorado. Algunos podrán decir que esta es frase de un perdedor en verano que necesita algún tipo de justificación para sobrellevar su agonía. Pero no. El sexo está sobrevalorado porque todo el día hablamos de sexo, porque creamos mil teorías y estratagemas para tirar, porque buscamos sexo por doquier y porque el sexo nos persigue en forma de medios de comunicación, charlas con amigos y sueños mojados. Pero no hay tal. El sexo es chévere, pero poco hablamos de todas las dudas e inseguridades que el sexo trae: ¿estoy gorda? ¿Huelo bien? ¿Será que se me para? ¿Será que hoy voy a acabar muy rápido? ¿Será que está pensando en otra? ¿Será que me va a llamar mañana?

Pero, asumiendo que la mayoría lo disfruta, que no hay disfunción eréctil, ni inseguridades con el cuerpo, el sexo está sobrevalorado porque permitimos que nuestra vida gire en torno a éste. El sexo se convirtió en una especie de divisa: tener sexo me abre las puertas para el club de los triunfadores, tener sexo me consigue sexo, no tener sexo me hace un perdedor... sexo, sexo, sexo. Nos tragamos el cuento de que los hombres piensan con el pipí para justificar sus infidelidades; creemos que nuestro éxito en la vida es proporcional a las veces que un hombre piensa en comernos cada vez que nos ve; y contamos polvos como contamos Sparkies. Lo que nadie nos ha dicho es que, aunque el sexo es importante, porque sube endorfinas y éstas generan toda serie de cosas buenas (piel más brillante y cara de satisfacción), hay otras cosas que también proporcionan tan cacareados beneficios. El chocolate hace los suyo, y el yoga, y correr 5.2 kilómetros diarios. El sexo está sobrevalorado porque dejamos que entrara a nuestra vida como una suerte de dictador nazi-fascista. O como si fuéramos Drácula y el sexo la sangre. Pero no señores, sin autoestima, control y la pareja adecuada, el sexo puede llegar a ser un problema causante de dramas, dolores e insatisfacciones. Aunque eso también nos lo dijo Kelly Taylor, nosotros nos hicimos los locos.

NOS TRAGAMOS EL CUENTO DE QUE LOS HOMBRES PIENSAN CON EL PIPÍ PARA JUSTIFICAR SUS INFIDELIDADES.

4. TENER EL CONTROL: EL PENTATEUCO

Debemos entender cómo conseguir el tan anhelado control, y, para información de todos, el control no se consigue a través del simple sexo. Por eso creamos una especie de mandamientos que resumen la teoría.

I.
Un hombre que se deja llevar por prejuicios
falaces en los que priman el honor y la virtud
no merece nuestra atención.

II.
Es bien probable que un hombre que se
desaparece luego de la primera cita lo haga
después de la tercera.

III.
Nadie nos hace un favor al casarse con nosotras.
El matrimonio no es un favor que uno le
hace al otro, es el compromiso que dos partes
responsables asumen.

IV.
No somos las depositarias de la voluntad de
nadie. Somos dueñas de nuestro propio placer y
voluntad.

V.
Debemos defender la libertad de tirar cómo,
cuándo, dónde y con quién queramos. Ese será el
primer paso para rechazar las reglas hechas por
hombres en beneficio de los hombres.

5. LA PERVERSIÓN DE LA LIBERTAD

Se dice que romper la ley es moralmente aceptable en casos extremos como salvar la vida de alguien o, en general, defender los derechos vitales de otro. *O salvar a un perro en lugar de una obra de arte, como le preguntaron a aquella reina de la belleza nacional. ¿Es que acaso esa pregunta tiene una respuesta correcta? ¿Quién fue el torcido que se le ocurrió que esa pregunta mediría algo en alguien? Nosotras coincidimos en que salvaríamos al perro y no entendemos cómo alguien preferiría salvar al cuadro. Si, el legado de la humanidad y bla bla bla, pero es un simple dibujo, mientras que ese perro podría salvar vidas detectando bombas en un parqueadero o evitar ataques terroristas en un aeropuerto. O darnos besos y saludarnos cuando llegamos del trabajo. Los perros baten la cola, los cuadros no. Perro 5 - Cuadro legado de la humanidad 0. Fin del hipervínculo.*

Que sea moralmente aceptable no significa que el infractor no reciba un castigo legal o social. Y dado que el comportamiento moral no es una ley en el sentido estricto, es más fácil de romper o interpretar. Por ejemplo, el principio popular de "cada quien hace con su culo un candelero". Todo para llegar a esto.

Según el "pentateuco"[99] enunciado anteriormente, nosotras deberíamos ir en contra de los estándares y las etiquetas, y buscar la libertad. Esta no es una revelación, pues desde siempre minorías, colectivos e individuos la han perseguido. Finalmente ya hemos vivido revoluciones feministas y miles de personas luchan a diario por hacer del mundo un lugar más libre y justo. Sin embargo, creemos que algunas de las prebendas y luchas se han malinterpretado y dejado en un lugar incómodo.

A veces nuestra realidad parece más un mutante, y no uno churro como Wolverine, sino más como Wade (o Weapon XI), el súper mutante asesino que mezcla torpemente los poderes de otros mutantes y que al final tiene una dolorosa muerte en *X-Men: Origins*.

Nuestra liberación ha sido eso. Un mutante.

---

99 Un psicoanalista podría decir que el pentateuco sale de nuestro delirio de grandeza. Como una mezcla entre San Francisco de Asís, Hitler y Tiffany "Pennsatucky" Doggett, la cristiana loca de *Orange is the New Black*. Y nosotras lo dejaríamos, con tal de que nos hiciera terapia gratis.

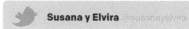

Susana y Elvira @susanayelvira

Con tantos enredos, un día de estos
nos van a empezar a salir plumas de las
manos como a Manimal.

Era uno de esos viernes de quincena en que los burócratas y asa-
lariados salen como vacas escapadas en carretera a los bares a des-
trozarse la cabeza, gastarse lo de la quincena y ver si hay cualquier
cosa que camine para mandarse a la muela. Dalila y sus amigas se
encontraron como de costumbre en la casa de Adelaida que estaba
entusada porque había terminado por décima vez en dos meses con
Patricio. Abrieron botella de guaro para prender motores y empezaron acortarse las unas a las otras sus culivestidos de poliéster y *span-*

dex. Antes de salir todas, como si fueran los All Blacks antes enfrentarse a un partido a muerte contra los Wallabies, cantaron su himno de apareamiento: "Y me solté el cabello, me vestí de reina, me puse tacones, me pinté y era bella. Y caminé hacia la puerta, te escuché gritarme, pero tus cadenas ya no pueden pararme. Y miré la noche, ya no era oscura, era de lentejuelas"[100].

Llegaron entonces al bar de siempre. Pidieron otra botella de guaro y se apropiaron de la barra para tener una buena panorámica del lugar y hacer un chequeo del *casting* de la noche. Dalila, como buena "hembra alfa" de su manada, localizó a su víctima. Tenía buen culo, cara de buen polvo y de tener una billetera bien popocha. Adelaida y las demás la animaron para que atacara a su presa de la noche y de paso trajera algo de comida para el resto del hambriento grupo. Así de Dalila "fue a por él". Enredó al pobre incauto con su rutina perfectamente coreografiada de conquista, le sacó botella de guaro para el resto de la manada y regresó a su clan para cacarear sobre el tonto-lindo con buen culo y billetera resbaladiza.

Después de un rato, Dalila, reina de Tinder, recibió un mensaje de apareamiento a través de la popular aplicación. Todas revisaron cuidadosamente el perfil y las fotos de su Tinder-cortejante y le dieron el voto de aprobación a su lideresa. "Recíbeme con un trago elegante porque aún no se han inventado las palabras para describir lo que estoy por hacerte", le escribió por mensaje directo y se fue a masacrar a su segunda víctima de la noche.

Creímos que ser liberadas era actuar como hombres neandertales. Comportarnos como ellos, con sus faltas, sus propias limitaciones y errores. No entendimos eso de la "liberación" como ser nosotras mismas. Y ahí fallamos.

De esta forma solo prolongamos la lógica de la hegemonía, el patriarcalismo, el machismo o lo que sea. Como cuando Leo, nuestro mediocre conformista, prefiere comer salchichón porque eso es lo que hay en la nevera, aunque le suba el colesterol y al día siguiente amanezca con un grano en la frente. "Es que para comer ensalada hay que ir a comprarla al supermercado", piensa echado en su cama.

---

100   Gracias Gloria Trevi.

Creemos que echarnos a cuanto macho se pavonea al frente nuestro es libertad, pero es una de las grandes formas de esclavitud, porque terminamos a la merced de los impulsos de los "consumidores", en una competencia por quién tiene las tetas más grandes o por quién es más desparpajada a la hora de hablar de sexo, para así ser destinatarias de la atención masculina y tal vez conseguir amor a cambio. No hay nada de malo con mostrar el cuerpo o hablar de sexo, el problema es el fin con el que lo hacemos. Si seguimos cediendo ante la idea de la mujer como un objeto sexual, y el sexo como una forma de conseguir amor o atención, seguiremos perpetuando estereotipos y una liberación mal entendida.

Eso sí, crear un vínculo o una expectativa romántica a través del sexo no es un tema exclusivo de las mujeres. Hemos conocido hombres que se enamoran con mayor facilidad que nosotras, que depositan en el sexo toda suerte de expectativas románticas y que sienten la misma necesidad de ser amados que muchas mujeres. No es un tema de Venus contra Marte, sino que nosotras fuimos criadas para expresar nuestros sentimientos, para ser vulnerables.

La liberación no significa que hayamos dejado de necesitar un buen trato, o de ser tratadas bien, con atención y respeto. No significa que ahora todos somos mecánicos de taller o amigotes borrachines, ramplones y escandalosos. No. Como lo dijo Whitney Cummings, "existe la noción de que no puedo ser emocional. No puedo ser débil. No puedo llorar. No puedo ser vulnerable. No puedo pedir ayuda porque no quiero defraudar a mi género"[101]. Y pues no. Eso solo ha logrado que hombres y mujeres compartamos la misma máscara pesada que, para la información de todos, no es *cool*.

Creemos que para ser libres debemos comportarnos como machos, ya lo hemos dicho. Pero no entendemos que los "machos" también están mal, y que no se trata de subordinación ni de cacarear poder como un macho alfa.

Porque sexo es una cosa, y amor es otra. Fue hasta la segunda mitad de mis veinte, que yo, Susana, después de encuentros desastrosos y una relación sana (no al mismo tiempo), entendí que tener sexo con

---

101 Fallon, Kevin. "Why Whitney Cummings' Dick Jokes Are Important". *The Daily Beast*. 2014. Web. En www.thedailybeast.com

algún tipo de sentimiento involucrado (así sea simple solidaridad) es mejor. Hay algo que la intimidad y el cuidado por el otro trae al simple sexo que lo enriquece y hace más satisfactorio. No se trata de *veni, vidi, vici* (vine, miré y conquisté, Julio César) o, tirar, venirse, vestirse e irse. Hay algo que el sexo casual no aporta en el antes, el durante y el después del "acto".

✳ ✳ ✳

» COMO MACHOS

Hemos creado una imagen de los hombres a partir también de estereotipos tontos que nos han hecho equivocarnos y tratar de imitar comportamientos que solo nos alejan de la felicidad y la razón.

» TOMAMOS COMO MACHOS

Si usted, querido lector o lectora, no le ha atribuido al exceso de alcohol una bajada de calzones, devuélvase al colegio y vea toda la temporada dos de *Clase de Beverly Hills*. No importa si ya sacó un doctorado en física nuclear y ahora está creando energía renovable a partir de colillas de cigarrillos, su vida ha sido totalmente desperdiciada para estos estándares en los que posamos la responsabilidad de nuestras reprochables acciones en alguien, o algo más. Porque nuestro amigo el alcohol es el responsable de peleas, hijos no deseados, accidentes de tráfico y facilitador de encuentros sin culpa.

» HABLAMOS COMO MACHOS

Encontrar en un bar un grupo de mujeres que parecen hienas dispuestas a echarse lo que pase por el frente es una escena común. Porque si ellos nos tratan como pedazos de carne, nosotras también lo hacemos, por lo que lanzamos miradas lascivas, comentarios sobre "el paquete", el culo, cuántos tipos se han echado gracias a Tinder, y sendas frases llenas de expresiones que otrora hubiesen sido merecedoras de un castigo que involucrase una barra de jabón. Hablar como machos arrechos en busca de polvo es innecesario. Esto no nos convierte en feministas, ni nos hace más liberadas, ni más *open mind*, ni mujeres modernas.

> **» ACTUAMOS COMO MACHOS ALFA**
>
> No es cierto que para poder estar "a la par" de los machos alfa de las salas de juntas de las corporaciones, las mujeres debamos mimetizarnos (esto es actuar y vernos como machos alfa) para que nos acepten como uno más de los hombres, y por ende, presten atención a lo que tenemos para decir. Es que ya no estamos en tiempos de Juana de Arco para que tengamos que encorbatarnos de tal forma que no nos vayan a quemar en la hoguera ni a tildar de locas por tener una misión en la vida.

***

6. SUPEREMOS *SEX AND THE CITY*

Un día Julita, mientras trataba de escaparse de una reunión para recoger a sus hijos y llevarlos a sus actividades extracurriculares, cayó en cuenta de que estaba malinterpretando todo este cuento de la liberación femenina. Y vio que la balanza estaba ligeramente desequilibrada —pero no hacia donde históricamente había estado inclinada, sino hacia el lado opuesto—. Porque mientras ella se desdoblaba por hacer mil cosas, su esposo se dedicaba a una sola: a cumplir con el rol que le había sido dado desde el principio de la humanidad, con sus partes buenas y malas, pero siempre teniendo claro su lugar y rol en este mundo.

 Susana y Elvira @susanayelvira

Cada vez que veo "Sex and the City", la peli, pienso en la inconveniencia e irrealidad de ir con un collar de perlas a la cama.

MANOLOS Y TUTÚS

Julita pertenece a la generación *Sex and the City*. Una burbuja Y2K que nos hizo creer que era posible tener un clóset lleno de zapatos de tres millones de pesos cada uno, comerse muchos hombres sin tener uno estable, y estar inconmesurablemente feliz y satisfecha con el apoyo de las amigas.

Pero más allá de sus clósets llenos de Louboutins, Manolo Blahniks y vestidos que uno nunca podría usar en una ciudad como Bogotá —o salga con un tutú y chaqueta de lentejuelas y móntese en Transmilenio a ver qué pasa— Carrie, Miranda, Samantha, y a veces, Charlotte, lograron hablar por muchas mujeres que se veían a sí mismas de una manera diferente, que no estaban buscando un hombre para casarse. Por primera vez, un *show* le dio la voz a un grupo de mujeres ya "viejas" (aunque en realidad apenas sobrepasaban los treinta, pero es que pareciera como si en la televisión tener más de treinta nos hiciera candidatas de ancianato) para hablar abiertamente de sexo, juguetes sexuales, masturbación femenina, y cuestionar las ideas sobre el matrimonio y la maternidad. Por primera vez vimos la versión femenina de James Bond en televisión.

Sex and the City replanteó el significado de una mujer soltera en sus treinta: de triste, perdedora y sola, a "glamorosamente amenazante"[102] y ganadora. También le dio matices a las mujeres: sucumben y la embarran; le ponen los cachos al tipo perfecto, y dejan de ser ellas mismas y se traicionan por tratar de ajustarse a la idea del amor.

Pero *Sex and the City* falló, especialmente en dos cosas: en vendernos la idea de que una mujer para ser exitosa debe ser blanca, flaca, churrísima y consumidora compulsiva, y que por mucho que luchemos y probemos nuevas mieles, estamos condenadas a ser rescatadas por un hombre, y peor aún, por un neandertal de la calaña de Mr. Big.

---

102 Nussbaum, Emily. "How Sex and the City Lost Its Good Name". *The New Yorker*. 2013. Web. En www.newyorker.com

BARBIE: UN INTERMEDIO

Pobre Barbie, responsable de la anorexia y problemas de autoestima de tantas mujeres (léase con sarcasmo, por favor no tomar literal). Porque la llevan atacando durante décadas por ser un modelo irrisorio de algún tipo de deber ser femenino, con unas proporciones físicas absurdas y una melena rubia. Es que solemos quedarnos atascados en ver a Barbie desde esta perspectiva física y se nos olvida todo lo que ha hecho. Barbie, por muy anoréxica que parezca, se ve como una mujer adulta que tiene todo un mundo independiente en el que ella puede ser lo que quiera sin la validación de un tercero. Por ejemplo, en sus cincuenta y cinco años de vida, la pobre malinterpretada de Barbie ha sido de todo: profesora, entrenadora de deportes, cirujana, veterinaria, estrella de *rock*, piloto de *jet*, embajadora de la paz mundial, diplomática de la Unicef, presidente de los Estados Unidos, bombero, paleontóloga, astronauta, arquitecta, piloto de la Nascar, peluquera, empleada de McDonald´s, princesa, sirena... Y cuando se ha sentido sola ha traído toda una rama de compañeros que complementan su mundo: Skipper, Stacey, Chelsea, Francie, Jazzie y claro, Ken.

Barbie siempre ha tenido que pedir disculpas por la manera como se ve. Por eso, cansada de decirle al mundo que la dejen de crucificar, se creó la campaña #Unapologetic, para demostrar que sin importar la manera como una mujer se ve puede lograr lo que quiera. Y sólo por eso, Barbie debería dejar de ser un modelo que se ataca, se ataca y se ataca, para empezar a verse como un modelo de empoderamiento femenino en el que una mujer toma las riendas de su vida, sus decisiones y las consecuencias de sus actos. Claro, siempre teniendo en cuenta los *faux pas* que ha tenido en más de cinco décadas de existencia, como la extrañísima y confundidorsísima idea de sacar a Barbie en la revista *Sports Illustrated* para rendirle un homenaje a la primera ocupación de la muñeca: modelo de vestidos de baño. Y su mayor *faux pas*: Ken.

Ken... pobre novio asexual con el que Barbie nunca se va a casar ni tener hijos simplemente porque es físicamente imposible. Es que

Ken es más como un *escort*, un accesorio que sirve para embellecer un poquitico más el mundo de Barbie; es como su versión asexual de Dania Londoño, "Ken, el 'prepago' de Barbie".

El pobre Ken sí que sobra en la ecuación de Barbie. Y en este punto, Barbie —como Carrie Bradshaw— falla. Es que Barbie, como nosotras, ha entendido muchas cosas mal y eso que nos lleva años de experiencia. Veamos: ¿quién es Ken? El tonto-lindo de Barbie que sirve sólo para hacerla ver bien. Es que a veces Barbie se aburre de todas sus tiaras y se cuelga a Ken del brazo para salir a conquistar el mundo. Y la verdad, ya aprendimos que así como no nos sirve ser mujeres que sólo pueden realizarse entre la cocina y el cuarto, tampoco nos sirve creernos el cuento de que podemos con todo solas y que un hombre no es más que un accesorio en nuestras vidas. Porque los necesitamos, y no para tenerlos al lado con su buen pelo y cara de ponqué para que nos haga ver lindas y nos ayude a venderle la idea al crudo mundo exterior de "mi vida es perfecta".

Barbie es una víctima más de esta liberación malinterpretada. Si las muñecas con cuerpo de Bon Bon Bumes y botas de dominatrices sacan del mercado a la —hasta ahora— *reina-de-las-muñecas-adultas-con-proporciones-absurdas-y-ganas-de-conquistar-al-mundo*, sepamos que Barbie siempre fue una *overachiever*, que como las de *Sex and the City*, nos vendieron una idea de mujer que se clava el cuchillo solita por no entender que la vida es más llevadera si se va de la mano con otro, que ojalá no sea un troglodita como Mr. Big. Esa que se creyó el cuento de que una mujer representante de la liberación femenina puede y debe ser todo lo que quiere y todo lo que le dicen que no es capaz de ser; y hacerlo todo sola, porque para qué encartarse con una pareja y menos con unos niños bien cansones, demandantes y chupaplata. Barbie necesita muchos puntos intermedios. Porque puede ser modelo de vestidos de baño un día y al siguiente embajadora de la ONU, pero debería decidirse por lo menos por uno de los dos caminos. La liberación no se trata de hacerlo todo sólo por demostrar capacidad y potencial. Se trata de poder de decisión y de tener la capacidad y la valentía de afrontar, defender y asumir esas decisiones.

EL PUNTO MEDIO ENTRE SAMANTHA
JONES Y HANNAH HORVATH
(SAQUEMOS A BARBIE DE LA ECUACIÓN)

En 2004 *Sex and the City* llegó a su final. Ocho años más tarde llegó Lena Dunham con una propuesta, nuevamente apalancada por HBO, que logró derribar nuevos estigmas y tabúes que antes ninguna cadena había sido capaz de mostrar en televisión. *Girls* salió al aire, y su protagonista, que además es la escritora, productora y directora, y para rematar tiene veintiocho años y a los veintiséis consiguió un *book deal* de más de tres millones de dólares, mostró la realidad de otro tipo de mujeres muy diferentes a las Carries, Mirandas, Samanthas y Charlottes de una década atrás.

Dunham le abrió la puerta a esas mujeres que empezaban a enfrentarse al mundo, ese momento terrible en que los papás cortan el cordón umbilical y mandan a sus hijos a las fauces de la realidad. Valiéndose de ya tener una carrera que esperan les dé para comer para el resto de sus días y un sueldo irrisorio, con el que es científicamente comprobado que llevar la vida de Carrie Bradshaw es simplemente imposible.

Dunham, más allá de su personaje en *Girls*, en efecto hizo realidad lo que Hannah le dice a sus papás en el primer capítulo de la serie cuando deciden cortarle el chorro: "Creo que puedo ser la voz de mi generación. O por lo menos 'una' voz. De 'una generación'"[103]. Hannah es un antihéroe clásico, pero una heroína para las de veintitantos porque ha logrado lo que muchos creadores esperan tener con su público: identificación. Hannah/Lena no mide 1.80 ni pesa cuarenta y cinco kilos, vive feliz empelotándose cada vez que puede y muestra sin vergüenza su cuerpo imperfecto y sus tatuajes; sufre de TOC[104], no consiguió un trabajo glamuroso al graduarse de la universidad, es experta en levantar perdedores y es supremamente insegura. En últimas, es una mujer en sus veinte que podría pasar por cualquier otra. Pero tiene los *insights* que apelan a las de su generación, así como lo hizo Samantha para las de su generación, pero sin los tutús, las limusinas, ni las portadas de *Vogue*.

---

103 *"I think that I may be the voice of my generation. Or at least A voice. Of A generation".*

104 Transtorno obsesivo compulsivo.

Total, debemos superar la etapa *Sex and the City* para entender que los zapatos, la ropa, el trabajo y el sexo sin compromiso no son lo único, ni mucho menos el ideal de la vida. Que la vida a los veinte puede ser como la de Hannah, pero los treinta llegan y las cosas cambian, y ya podemos tener el suficiente cuero para saber que lo único que vamos a lograr metiéndonos con un Adam Sackler es llenar nuestra vida de ruido innecesario. Por eso nuestra propuesta es, encontremos un punto medio entre *Girls* y *Sex and the City*.

7. RECLAMAMOS NUESTRO PODER CASTRÁNDOLOS

IL CASTRATO VS. LA SUPERWOMAN
"EMASCULACIÓN EN CINCO ACTOS"

1. INT. CASA DE PAMELA Y MENDOZA. SALA - DÍA.

Pamela entra al apartamento llena de bolsas. Mendoza está acostado en piyama en el sofá de la sala viendo televisión.

    PAMELA
    Hola, amor.

Mendoza la saluda haciendo un gesto con la mano.

    MENDOZA
    ¿Dónde andabas?

    PAMELA
    En la ferretería.

Pamela saca un bombillo de las bolsas y camina hacia el cuarto.

MENDOZA
(Grita)
¿Qué vas a hacer?

PAMELA
Cambiar el bombillo.

Mendoza se reacomoda en el sofá y Pamela
sale de cuadro.

MÁS TARDE:

2. INT. APARTAMENTO PAMELA Y MENDOZA.
COCINA. NOCHE.

Pamela y Mendoza están cocinando. Pamela
abre la nevera y saca un frasco de
pepinillos nuevo. Trata de abrirlo, pero
no puede.

MENDOZA
Ven, déjame ayudarte.

Mendoza trata de quitarle el frasco,
pero Pamela se lo impide. Toma un trapo
y trata de abrirlo. Mendoza la mira
paciente. Pamela hace un nuevo intento,
pero no puede abrirlo.

172 ←
173 →

MENDOZA
(Insistente)
Déjame.

PAMELA
No. Yo puedo.

Pamela le da unos golpecitos a la tapa
del frasco y finalmente logra abrirlo.
Le lanza una sonrisa triunfal a Mendoza.
Mendoza hace cara de disgusto y se va
para la sala. Se tiende en el sofá y
prende el televisor.

3. INT. APARTAMENTO PAMELA Y MENDOZA.
COCINA - DÍA.

Mendoza está lavando los platos del
día anterior. Pamela llega en piyama
y lo abraza por detrás. Lo corre del
lavaplatos y se pone los guantes
amarillos de caucho. Empieza a lavar.

>   MENDOZA
>   (Molesto)
>   ¡Pero déjame! ¡Hoy lavo yo!

>   PAMELA
>   No. Por qué no mejor te bañas
>   mientras yo termino acá. Es que
>   tu siempre dejas pegotes en los
>   tenedores.

Achantado, Mendoza se va.

>   MÁS TARDE:

4. INT. EDIFICIO PAMELA Y MENDOZA.
PARQUEADERO - DÍA.

Pamela y Mendoza caminan por el parqueadero
hacia su carro. Se dan cuenta de que una
llanta del carro está pinchada. Pamela se

adelanta, abre el baúl y saca el gato, la cruceta, se agacha y empieza a quitarle las tuercas a la llanta. Mendoza se agacha al lado suyo y le quita la cruceta.

> PAMELA
> ¡Yo puedo!

> MENDOZA
> ¡No, Pamela! ¡Déjame por lo menos cambiar la llanta!

Pamela se levanta y da un paso hacia atrás. Se cruza de brazos y observa a Mendoza mientras trata de despinchar la llanta. Mendoza tiene algunas dificultades. Pamela se desespera y le quita la cruceta. Mendoza se enfurece.

> MENDOZA
> ¡Dale! ¡Despincha el carro! Como tú todo lo puedes.

Mendoza se dispone a irse pero antes se detiene y le dice:

174 ←
175 →

> MENDOZA
> Yo no entiendo para qué estás conmigo. Si tú puedes todo sola, pues no me necesitas.

Mendoza se va y Pamela se queda con cara de preocupación. Pero sigue despinchando.

5. INT. APARTAMENTO PAMELA Y MENDOZA. CUARTO. NOCHE.

Pamela está acostada en su cama leyendo un libro. Mendoza entra al cuarto y sin determinarla se encierra en el baño. Al rato sale en piyama y se acuesta. Coge el control de televisor y pone el canal de deportes. Pamela se molesta.

>PAMELA
>¿Será que le puedes bajar el volumen un poco?

Mendoza le sube más el volumen, desafiante.

>PAMELA
>¿Pagaste el arriendo?

>MENDOZA
>¿No lo pagaste tú?

>PAMELA
>¡No! ¿Ves? ¡Ahora nos van a cobrar multa!

>MENDOZA
>Pues tú verás. Cómo yo soy una sombra que no sirve para nada.

Mendoza se levanta de la cama, agarra la almohada y se va hacia la sala. Pamela queda desconcertada y molesta.

>PAMELA
>(A sí misma)
>Inútil.

>**FIN**

8. NOS VAMOS A TOMAR EL MUNDO PINKY

INT. PRISIÓN LITCHFIELD. OFICINA DE SAM
HEALY- NOCHE.

HEALY
Deberías leer este libro. Se llama
El fin de los hombres. Dice que,
muy pronto, los hombres serán
innecesarios. Ahora las mujeres
reciben mejor educación, van a
ganar más dinero y tendrán el
control de todo.

DOGGETT
¿De veras? ¿Quién será presidente?

HEALY
Exacto. Las lesbianas empezaron con
todo esto. Hacen bebés en tubos.
Por eso se manejan como si fueran
superiores. Desean que nosotros nos
volvamos obsoletos. Es así.

DOGGETT
No se ofenda, pero nunca me fue muy
bien con los hombres al poder.

176 ←
177 →

HEALY
¿Estás comiendo galletas gratis?

DOGGETT
Sí.

HEALY
Recuerda eso antes de pensar cosas
raras[105].

Supuestamente debemos estar felices porque, por primera vez en la historia democrática de Colombia, el 20% del Congreso son mujeres[106]. ¡Nos vamos a tomar el mundo!, le diría Cerebro a Pinky. Pero no hay tal.

Por ley, los partidos tienen que darle el 30% de los lugares en sus listas a mujeres, como parte de una ley de cuotas que busca promover la participación política, tradicionalmente concentrada en los hombres. *No sorprende que en el reino de los padres de la patria reine el machismo, pues, finalmente, a nuestros honorables senadores y representantes se les conoce como "los padres de la patria", en ningún lado queda abierto para que sea un reino de padres y madres, y toda esa parafernalia.* Dejando a un lado los fundamentalismos del lenguaje que tanto hemos criticado, Colombia ha sido tristemente conocida por estar en la cola de los países que favorecen la participación política de las mujeres. En 2013 estaba en el puesto 104 de 188 países, según la Unión Interparlamentaria[107]. Así que, viendo el vaso medio lleno, es bien positivo que en este Congreso vayamos a tener cincuenta y dos congresistas mujeres.

Sin embargo, más mujeres en el Congreso no significa mejor representación para las mujeres. *¿Ahí es donde decimos "valga la redundancia"?* Muchas de ellas pertenecen a partidos de línea conservadora que irán en contra de políticas a favor de la igualdad y los derechos de las mujeres y de otros grupos minoritarios, que es lo que realmente nos interesa.

Por ejemplo, en las presidenciales de 2014 Martha Lucía Ramírez basó parte de su campaña en el hecho de ser mujer. Y seguro obtuvo buena parte de sus 1'995.698 votos por cuenta de su género. Pero, basta con ver algunas de sus respuestas en las entrevistas, para saber que es más conservadora que muchos hombres. *Por algo fue la candi-*

---

105   *Orange is the New Black*, Temporada 2, capítulo 12 "Fue el cambio".

106   "El poder de las mujeres en el Congreso". Revista *Semana*. Marzo 2014. Web en www.semana.com

107   Women in national paliaments. 2013. Web en www.ipu.org

data del Partido Conservador, como Noemí Sanín, y hay que festejarle que se ajuste al programa de su partido. Fin del hipervínculo. Cuando la revista *Caras* le preguntó su posición sobre el aborto, dijo, "no estoy de acuerdo. Pienso que esa no debe ser la opción para una mujer que se embarazó por descuido. Jamás. También, como me costó tanto trabajo tener esta hija, para mí el aborto es impensable"[108]. Eso sí, dejó claro que apoya los casos excepcionales.

Cada quien piensa lo que quiere, eso lo sabemos. Y lo más honorable de un ser humano es que defienda sus ideales. Pero de nada nos sirve votar por mujeres por el simple hecho de ser mujeres, si defienden un *status quo* que promueve la desigualdad y unas políticas en las que el Estado y la Iglesia deciden sobre el cuerpo de las mujeres y hasta dónde llega su libertad, y en últimas vamos a estar mejor representadas por un hombre liberal. Porque, de nuevo, no se trata de géneros sino de ideas.

La discriminación positiva ha generado debate porque crea una inclusión artificial desde arriba que no siempre termina bien. Pero es lo único que tenemos ahora para llamar la atención sobre la disparidad en la participación política, y para defender grupos tradicionalmente discriminados. Eso sí, no puede durar por siempre porque esta sociedad en la que vivimos debe llegar pronto al punto en el que el color, la inclinación sexual o el género no importen.

9. LA LIBERTAD MÁXIMA: NO TENER HIJOS

"Recuerdo haber visto un especial de televisión sobre los esfuerzos de algunas mujeres para quedar embarazadas en clínicas de fertilidad. El entrevistador le preguntó a algunas de estas mujeres por qué estaban gastando tanto tiempo y dinero tratando de tener un hijo. Nunca olvidaré la respuesta de una de ellas, cuando primero miró con algo de culpa a su esposo y luego respondió que el futuro de su matrimonio dependía de eso, pues su esposo creía que sin hijos no habría familia, ni una razón para permanecer casados. En un nivel emocional básico, la liberación de roles opresivos no ha tenido

---

108 "Marta Lucía Ramírez, la mujer conservadora". Periódico *El Tiempo.* Web en *www.eltiempo.com*

efecto alguno, si a una mujer le han enseñado que no tiene valor más allá de su rol como esposa y madre". –Margareth Simons[109].

A las mujeres de nuestra generación, y de las anteriores, nos enseñaron que teníamos que vivir acompañadas, que sin marido e hijos una mujer es incompleta. Al binomio se le sumó hace unas décadas un tercer componente: sin hijos, marido y profesión, una mujer no es nada. Y de una vez agreguémosle a esta sopa de expectativas una cuarta: sea un objeto sexual, o siga al pie de la letra el dicho que *sabiamente reza:* "una dama en la calle, una puta en la cama".

A estas alturas, entonces, es más fácil sembrar un hijo, escribir un árbol y tener un libro que lograr que hijo, marido, estética y trabajo en ascenso convivan en armonía, sin dramas. Porque como en comercial ochentero, nuestros días no tienen veinticinco horas, *y ahora resulta que hay que dormir ocho, que porque dormir menos engorda.*

Las mujeres hoy tienen cada vez menos hijos. En los últimos veinte años la tasa de fecundidad ha tenido una reducción constante en Colombia. Según la Encuesta Nacional de Demografía y Salud (ENDS) que Profamilia realiza cada cinco años, en 2000 las mujeres tenían en promedio 2.6 hijos, mientras que en 2010 tenían 2.1. En 2010 en las zonas rurales, cada mujer tenía un promedio de 2.8 hijos, mientras que en las zonas urbanas tenían solo 2. La ciudad con menor tasa de fecundidad es Bogotá, donde cada mujer tiene un promedio de 1.9 hijos[110].

Los investigadores de la ENDS también encontraron que a "mayor educación menor es la fecundidad"[111]. La diferencia de hijos entre mujeres sin educación y mujeres con educación superior es de casi tres hijos.

En *El segundo sexo*, Simone de Beauvoir señaló que la maternidad es una carga difícilmente compatible con una carrera[112]. Hoy, sesenta

---

109 Simons, Margareth. "Motherhood, feminism and identity", en *Hypatia reborn: essays in Feminist Phylosophy*. 1990, p. 157.

110 Asociación Probienestar de la Familia Colombiana, Profamilia. Encuesta. Nacional de Demografía y Salud, Ends: Profamilia, 2010.

111 Ibid.

112 Simons, Margareth. "Motherhood, feminism and identity", en *Hypatia reborn: essays in Feminist Phylosophy*. 1990, p. 161.

y cuatro años después, sabemos quién ganó la batalla. No le estamos atribuyendo la reducción de la natalidad al feminismo y a su lucha, sino al desarrollo económico del mundo entero y, por qué no, al patriarcado.

Comencemos por el desarrollo económico —les prometemos que seremos breves—. Entre más se acerca un país a su equilibrio social, menor es su tasa de natalidad. Un país ha alcanzado un nivel aceptable de desarrollo cuando, entre otras cosas, los embarazos adolescentes son mínimos y las mujeres posponen su maternidad hasta terminar su universidad. Entonces, digamos que en esto coinciden el feminismo y los economistas del desarrollo, sin importar qué tan radicales, de derecha o de izquierda sean.

Además, en sociedades en desarrollo, y sobre todo pobres, los hijos son una garantía de sustento para sus padres —por eso, en parte, es que los tienen tan jóvenes— porque son una fuerza de trabajo más que contribuirá al sustento del hogar. Así volvemos a la idea sobre los mandamientos: la familia es el pilar social y económico que es, porque un hijo honrará a su padre y a su madre manteniéndolos y apoyándolos económicamente en su vejez. Claramente los Mandamientos fueron revelados a Moisés cuando todavía no se había creado el sistema pensional *y cuando todavía había gente que creía en la combustión espontánea de los árboles parlanchines.* Por eso una mujer sin hijos y sin esposo antes era una fracasada minusválida que tendría una vida muy, muy dura. Pero ya sabemos que las cosas hoy son diferentes.

¿Pero qué pasa cuando la maternidad se rechaza? Los conservadores dirán que, a nivel macro, puede haber consecuencias a nivel económico y social, como en Holanda, Australia y Canadá, donde la población es cada

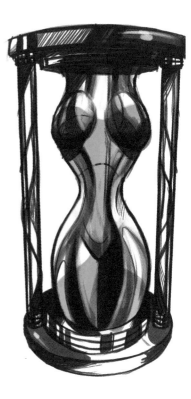

vez más vieja, demanda más pensiones y produce menos. Ellos recibieron el coletazo del desarrollo y del feminismo mucho antes que nosotros. De nuevo, "Efecto Manimal". Pero, para tranquilidad de las defensoras del libre albeldrío, en Colombia estamos lejos de tener un problema similar, pues la fecundidad sigue por encima del nivel de reemplazo[113] y tenemos un "bono demográfico"[114] que, de aprovecharse, nos permitirá un crecimiento económico a unas tasas nunca antes vistas[115]. Así que todas frescas y felices, no tienen que reproducirse como un sacrificio a favor de la macroeconomía del país y del futuro de nuestras pensiones.

RECHACEMOS EL YUGO, COMPAÑERAS

Ahora el patriarcado. Dadas las limitaciones que trae consigo la maternidad *en el mundo hostil y machista en el que vivimos*, las feministas de antaño dijeron "al diablo los hombres y los hijos. Logremos la independencia económica y no vivamos más bajo el regimen del *capitalismo masculino*"[116]. Los hijos y el matrimonio, entonces, fueron los primeros sacrificados. Con razón. Es que por cuenta de esa "idealización victoriana de la maternidad"[117] de la que habla Carmen Díez, ser mamá se volvió muy difícil y dictatorial.

---

113   Cuando los nacimientos son equivalentes a las muertes.

114   Las altas tasas de natalidad de las décadas anteriores lograron que hoy la mayor parte de la población en Latinoamérica —unos 148 millones de personas— tenga entre quince y cincuenta y nueve años. Este grupo demográfico, que concentra casi el 100% de la capacidad productiva de una economía, es una oportunidad para generar un crecimiento sin precedentes en países como Colombia.

115   Nota para los señores feudales que nos gobiernan: usamos estas líneas y la poca influencia que tenemos en el mundo para rogarles que le mermen a la construcción de la casa en Miami y aprovechen esta oportunidad de oro para generar empleo y educación de calidad, así la gente joven —que ahora es mayoría— salga del estancadero y produzca. Les juramos que así se benefician todos. Si hay más platica por ahí afuera en la fuerza productiva, seguro se pueden comprar sus carros ostentosos a punta de trabajo honrado y no se tienen que arriesgar a una casa por cárcel. Créanos.

116   Nuestra licencia creativa para combinar el rol de consumidoras de las mujeres y la hegemonía masculina.

117   Díez, Carmen. "Maternidad y orden social. Vivencias del cambio. En Perspectivas feministas desde la antropología social. 2000, p. 173.

De hecho, nos tomó dos minutos y tres segundos crear una lista de razones por la cual no tener hijos es una gran idea:

1. Nosotras, Susana y Elvira, ya dormimos bien poco con un libro, un blog, una serie y un trabajo que paga las cuentas como para que ahora un chino mocoso nos despierte porque se hizo popó.

2. Este mundo está tan dañado que ni para qué traemos a un niño al mundo. Señal de lo anterior es que alguien como Justin Bieber es un ídolo de masas. Y antes muertas que criar a un fan de Justin Bieber o su equivalente en el futuro.

3. El coeficiente intelectual de la masa cae unos puntos cada día. A este paso, mejor nos hacemos a un hámster.

4. Los adolescentes son una plaga: tienen cara de odio-al-mundo-pero-sobre-todo-a-mi-mamá 24/7.

5. Odiaríamos levantarnos un domingo en la mañana con la música de One Direction y no sabríamos cómo explicarle al adolescente que esa música es física basura, porque nos pediría que nos calláramos con su cara de y-tu-qué-me-vienes-a-decir-si-te-gusta-Ricardo-Montaner.

6. Suficiente hemos maldecido a los bebés que lloran en los aviones como para ahora convertirnos en depositarias de esas maldiciones. El karma existe y asusta.

7. Nuestra cartera es suficientemente grande sin pañales, pañitos, sonajeros y todas esas cosas que cargan las mamás. Y vivimos en Bogotá, por lo que nos negamos a dejar la sombrilla por meter todo un set de baberos en caso de que al chino baboso le de por regurgitar.

8. ¿Vamos a ser el modelo a seguir de alguien? ¿Y esperamos que no se convierta en un psicópata?

9. "Mi amor, deja de llorar porque mami tiene que hacer sus cinco minutos de meditación para ver si mañana no aparece en el titular de un periódico como la loca que metió en la licuadora a su hijo. Gracias".

10. Porque no tenemos por qué hacerlo si no queremos. Y eso no nos hace menos mujeres, pero tampoco más feministas o más liberadas.

Pero ahora, en serio, como nosotras aún no somos mamás y tampoco tenemos una posición radical en decirle "no" a los hijos, nos pareció importante hablar con Ana (44), Lucía (70) y Carmen (40), tres mujeres que decidieron no tener hijos para aterrizar el caso y no hablar como si estuviéramos vendiendo humo. Esto es lo que ellas piensan al respecto:

» ¿POR QUÉ DECIDIÓ NO TENER HIJOS?

Ana: Porque no encontré la pareja correcta para eso y las que he tenido no quisieron tener hijos y también por el trabajo, pues me toca viajar mucho y estar en campo y eso ha hecho que mis relaciones no terminen bien. El tiempo que estoy en campo no me permite tener hijos o delegárselos a otros.

Lucía: No me hicieron falta porque crié a los sobrinos, en mi profesión docente sublimé el proyecto de los hijos. Yo desde pequeña siempre tuve otras prioridades antes de casarme y tener hijos.

Carmen: Por el trabajo, porque no me queda tiempo, y realmente porque no le dediqué la suficiente atención a esa parte.

» ¿QUÉ OPINA DE LA FRASE "LA REALIZACIÓN DE TODA MUJER ES SER MADRE"?

Ana: Como no he tenido hijos, no te puedo decir que esa es la realización de toda mujer. Pienso que la academia y la economía también son la realización. Veo más que la realización de tener hijos es algo emocional que lo separa de lo económico, entonces uno se puede realizar de varias maneras, no sólo teniendo hijos. Lo académico es una realización de aprendizaje y como persona para tener capacidad económica fuerte también en la sociedad, de tener accesos. Sin embargo los empleos son mal remunerados, eso influye a la hora de tener pareja, pues cuando no hay empleo estable tampoco pareja, muchos matrimonios hoy en día se terminan porque no hay economía estable. Si un hijo es una realización no lo pienso dejar en una guardería o a alguien para que me lo cuide. Además no tengo las condiciones para tenerlo y criarlo, pues mi mamá falleció y mi familia vive lejos.

Lucía: No necesariamente porque uno puede encausar el instinto maternal con otras áreas como lo expresé anteriormente.

Carmen: En cierta manera sí es cierto, en la mujer es como innato querer ser mamá.

» ¿ALGUNA VEZ SINTIÓ LA PRESIÓN DE SER MADRE? ¿QUÉ LE DECÍAN SU FAMILIA O AMIGOS?

Ana: Cuando rompí con una pareja con la que duré once años, él se enamoró de alguien con el que tuvo tres hijos y yo no, vino una ansiedad, tenía muy elaborado el plan de que mis hijos los iba a tener con él, no se realizó y la familia empezó a decirme que ya tenía treinta y cinco, que tuviera un hijo así fuera mamá soltera. No los escuché porque sigo teniendo mi esencia y sigo siendo firme como persona, si no hay un papá, no hay una buena condición y economía, no quiero ser una mamá soltera dejando el niño en cualquier parte o angustiada porque estoy haciendo plata y mi hijo no está teniendo afecto, no quiero un hijo solo, depresivo o suicida que es lo que uno lee en los periódicos. Me gustaría tener un hijo pero con calidad de vida y sobre todo disfrutarlo, pero ahora tengo el inconveniente de la edad y sigue presente la situación de que no tengo una pareja que me manifieste querer tener un hijo, entonces no veo de dónde pueda salir.

Lucía: Sí tuve la presión, pero según mi manera de pensar no fue mi prioridad. Mis amigos me decían que tuviera un hijo para que no me quedara sola y yo les decía que tener hijos no aseguraba ni la compañía ni la posesión de las personas.

Carmen: Sí, en algún momento la familia y algunos amigos, no propiamente presión, pero sí preguntaban sobre el tema a futuro.

» ¿QUÉ VENTAJAS ENCUENTRA HOY EN SU DECISIÓN?

Ana: Que he podido seguir estudiando, en cualquier momento puedo coger mi maleta e ir a cualquier lugar, puedo tomar decisiones rápidamente. No me someto a un padre que desprecia el hijo porque no lo deseó, tampoco veo sufrir a un niño deprimido porque su madre no está en casa. Claro que ya a los cuarenta y cuatro años cuando uno conoce un hombre de cuarenta y cinco o cincuenta años te encuentras con las perlas " mis hijos, mi ex esposa", y uno como metido en la vida de otro es muy jarto; el amor del hijo o de la esposa no compite con el de la amante o la amiga.

Lucía: Me siento más libre para tomar mis decisiones y realizar mi vida de una forma tranquila e independiente. En lo profesional fue una ventaja porque me permitió mayor entrega. En general mis relaciones han sido buenas a nivel social y en lo familiar he sido un centro de apoyo y comunicación para la familia.

Carmen: Es una ventaja en un trabajo como el mío en el que no hay tiempo. Tener un hijo requiere de mucho tiempo y dedicación. Si yo tuviera un hijo, no lo dejaría solo, estaría siempre con él. En la parte de pareja la ventaja es que puedes compartir más con él. Sin embargo, siento que hace falta un hijo para una consolidación de esa relación y del sentimiento que uno tiene hacia esa otra persona.

» ¿Y DESVENTAJAS?

Ana: Estoy buscando una pareja para compartir la época de la madurez y lo que se avecina, por eso busco una persona estable. Quiero viajar y conocer otras culturas extranjeras porque aparentemente esos hombres se comprometen más. Si se me da la oportunidad me lo permitiría, porque hombres como los europeos son más serios en sus compromisos, manejan muy bien los tiempos con los amigos, con la pareja, no "cachonean"; sí hay infidelidad pero se ve menos que acá.

Lucía: En un principio se siente el vacío del trabajo, pero después se disfruta del descanso laboral.

Carmen: La desventaja de no tener hijos es que a veces pienso que me hace falta, en su momento debí darle prioridad al tema.

» ¿QUÉ LE DIRÍA A UNA MUJER QUE NO QUIERE TENER HIJOS PERO SE ENCUENTRA CON LAS PRESIONES DE SU FAMILIA Y PAREJA?

Ana: Yo le diría que es una decisión propia, de ella, pero tiene que priorizar lo que quiere, porque al final la conexión directa madre e hijo es única y si ella siente que tomó una mala decisión la va sufrir el hijo también. Si no está segura es mejor que no lo haga y si es consciente que es bajo presión, puede que las cosas no le salgan como ella espera.

Lucía: Que tome sus propias decisiones de acuerdo a su criterio y propósitos, porque uno como persona es quien decide, después de analizarlo bien.

Carmen: Que si tomó la decisión, es respetable y la pareja o familia también deben respetar esa decisión. Igual, casi siempre cuando no se tienen hijos la decisión es de las dos personas.

» ¿Y QUÉ LE DIRÍA A UNA MUJER QUE ESTÁ LISTA PARA DEJAR SU CARRERA POR TENER UNA FAMILIA? ¿CREE QUE FAMILIA Y CARRERA SON INCOMPATIBLES?

Ana: Yo le diría que lo haga, que sea feliz. Cuando uno toma la decisión es porque está convencido, si no pues no la toma. Lo de familia y carrera son incompatibles lo leí en un letrero en la universidad de Alemania que decía "familia o academia" y hablábamos con unas amigas de que es muy difícil sacar adelante familia y academia, cuando uno quiere que las cosas sean de lo más tradicional y beneficiosas tanto para el hijo, sobre todo si es un bebé. La academia requiere de mucho tiempo, y estoy en la competitividad con el mismo género o con el género opuesto, con el acceso, el medio, el estado y el sistema, además de eso con la responsabilidad de un hijo, hogar y pareja; es muy complicado. Las mujeres tampoco queremos el machismo de la casa: lave, planche, cuide hijos, no tenga nada, margíneme, humílleme, NO. Además los hombres están reclamando la participación de las mujeres en la economía de la casa, ya nos posicionamos en la liberación femenina, tenemos acceso a buenos empleos, entonces los hombres no tienen totalmente la responsabilidad.

Lucía: Que espere un poquito y termine su carrera, luego le dedique un poco tiempo a establecer su familia y continúe cultivando su profesión, ya que poco a poco se irán dando las cosas. No creo que familia y carrera sean incompatibles, de ninguna manera, sin descuidar el aspecto profesional.

Carmen: En este momento le diría que me parece excelente, porque la base fundamental de la sociedad es la familia, tener una familia me parece muy bonito. Si se sabe manejar, familia y carrera son compatibles. Tú puedes ser una buena profesional y buena madre.

Hasta hace poco más de una década a nosotras en Colombia todavía nos hacían exámenes de embarazo antes de entrar a un trabajo[118]. En esa misma época una investigación demostró que el sueldo de las mujeres en el mundo era inversamente proporcional a su número de hijos[119]. Y aún hoy hemos conocido casos en los que las mujeres ejecutivas son condenadas por sus compañeros de trabajo por desatender sus funciones como madres, al dejar a sus hijos con una niñera o con sus abuelas *mientras atienden las extensas jornadas de trabajo que aún nos privan en Colombia, dada nuestra equivocada idea de ser más productivos porque pasamos más tiempo en la oficina o porque calentamos silla todo el día. ¿Sabían que en Japón el que se queda más horas en el trabajo es tachado de improductivo porque no logró hacer lo que debía dentro de su jornada laboral? Fin del hipervínculo.*

Por cuenta de la hegemonía masculina y de sus ideales perezosos y convenientes, creímos que si el macho era el proveedor económico, nosotras éramos las proveedoras de cuidado (*caregivers* en inglés, que a nuestro juicio tiene más sentido). Las únicas. Que los hombres, tradicionalmente retratados como duros, prácticos, fuertes, desprovistos de toda empatía o sensibilidad[120], eran incapaces de cuidar a un bebé como las madres. *Claro, es que las mamás habían tenido a los bebés nueve meses en la panza, da-ha.* Una prueba de la prevalencia de esta idea de las mujeres como proveedoras de cuidado "materno", es el tiempo de la licencia de maternidad contra el de la licencia de paternidad. Mientras que en Colombia la mujer tienen una licencia remunerada de doce semanas, al hombre le corresponden ocho días. Y que agradezca.

Entonces el rechazo a la maternidad puede estar siendo una forma de decir "este cuerpo es mío y no voy a ser esclava de nadie", ni de mis hijos, ni de mi macho proveedor, ni del sistema.

La maternidad no tiene por qué ser esclavitud, es un proyecto que se debe vivir en equipo. No se trata de "ay, es que mi esposo es el me-

---

118   Fue hasta entrado el 2000 cuando Colombia hizo parte de la Convención 183 de la Organización Internacional del Trabajo que prohíbe el examen de embarazo.

119   Budig, Michelle y England, Paula. "The Wage Penalty for Motherhood". *American Sociological Review* 66 (2001): 204-25. Web.

120   Si no miren al Clint Eastwood en *El bueno, el malo y el feo.*

Popó de toro con moscos

jor porque me ayuda montones con el bebé". ¡Popó de toro con moscos volando! A un esposo no se le agradece por "ayudar", pues también es su responsabilidad cuidar al bebé, contribuir en la crianza, estar presente, llevarlo al médico cuando la mamá está en una reunión de trabajo, ir a reuniones del colegio y a todas las presentaciones que tenga el niño, las cargas serían más ligeras si entendiéramos que los roles son perezosos y excluyentes.

A favor, creemos que parte de los resultados de esta transición en la que nos encontramos es que la idea sobre la provisión de cuidado y la provisión económica está cambiando. Por lo menos en otras partes del mundo, los hombres están comenzando a quedarse en la casa mientras que las mamás se van a trabajar. *Y no, amigo neandertal, no es el final de los tiempos, es simplemente sana y natural evolución de las especies.* Un estudio del Pew Research Center reveló que el número de papás que se quedan en la casa cuidando a sus hijos en Estados Unidos se duplicó entre 1989 y 2012. En total, reveló el estudio, dos millones de papás (el 16% del total de núcleos familiares heterosexuales) se quedaban en sus casas con los hijos. Y el 21% de éstos, reveló el estudio, lo hacían no por desempleo sino porque acordaron con sus parejas que ellos serían los proveedores de cuidado, mientras que ellas serían las que trabajarían para ganar el sustento[121]. *Y esto, amigo neandertal, no los hace menos hombres o unos "maricotas". Al contrario, el hecho de ir en contra de etiquetas dictadas por otros, "quién sabe cuándo", les da libertad a ellos mismos y a sus parejas de hacer "lo que se les venga en gana".* Eso sí, la diferencia entre Estados Unidos y Colombia es que allá uno de los dos papás se tiene que quedar en la casa, porque para alguien clase media es casi imposible pagar una niñera. Aquí, con un salario mínimo tan amigable con los empresarios, es más fácil que los dos salgan a triunfar en sus profesiones. Todos felices, satisfechos con sus vidas y posibilidades.

Ahora, parte del reto de la transición tibia es que las mujeres también entendamos que esto es posible. Crecimos en una casa en la que —tal vez— ambos padres trabajaban, pero aún la carga de la provisión económica estaba, en su mayoría, en los papás. Por ello en mu-

188 ←
189 →

121 Livingston, Gretchen. "Growing number of dads home with kids". *Pew Reseacrh Social and Demographic Trends*. 2014. Web en www.pewsocialtrends.org

chos casos somos nosotras mismas las que esperamos que el hombre trabaje y sea el "hombre de la casa". La evolución, amigas, es de doble vía. No podemos esperar que el sistema cambie simplemente porque los hombres dejan de ser machistas. Nosotras también debemos hacerlo porque, como ya lo hemos dicho, hemos encontrado que en nuestra sociedad a veces las mujeres pueden ser más machistas que los mismos hombres.

LA LIBERACIÓN ES PODER ELEGIR SI SER MAMÁS O NO

El no tener hijos es hoy una decisión alabada y respetada; y esto habla muy bien de los avances de nuestra sociedad. Sin embargo, consideramos que es una decisión fruto de la libertad, y de la liberación, si y sólo si se hace por la razón correcta.

¿Qué es una "razón correcta"? Nos tendríamos que meter en todo un debate filosófico, citar a grandes pensadores y hacer un debate racional aquí que nos haría dormir un poco. Por eso nos limitaremos a decir, como Jedi, que la razón correcta está dentro de cada una; pero que tiene un poco que ver con tomar las decisiones por uno mismo y para uno mismo, no por alguien o para alguien más. Es decir, si tenemos hijos es porque nosotras queremos, no porque tenemos que amarrar a nuestro macho. Y si decidimos que no queremos tenerlos, que sea porque "no se nos da la gana", no porque esta sociedad mezquina nos hizo elegir entre independencia económica y profesión, y bebés para cuidar.

Porque hemos encontrado que cuando una mujer decide no tener hijos como un rechazo al "yugo" de la familia, o para privilegiar su rol de profesionales, hay una especie de "¿y qué tal si...?". "La desventaja de no tener hijos es que a veces pienso que me hace falta, en su momento le debí dar prioridad al tema", explicó Carmen, una de nuestras entrevistadas en la sección anterior (ver pág. 182). Sabemos que esa pregunta tonta que se le hace a todas las mujeres que confiesan no querer hijos es retrógrada y maniquea: "¿No será que después te vas a arrepentir?". Pero tenemos que poner sobre la mesa todas las variables para el análisis, pues definitivamente creemos que la maternidad aquí se puede estar rechazando porque vivimos en una sociedad neo-oscurantista.

La nuestra no es una declaración a favor de la reproducción. Porque no vamos a contradecir el principio que ha guiado este libro de "cada quien hace lo que se le viene en gana". Y al contrario, es coherente con la idea de hacer las cosas por la razón correcta. No tener hijos porque tenemos unos jefes y unos maridos retrógrados, sexistas y conservadores es una razón equivocada; tener hijos simplemente porque "es la realización de toda mujer" (léase con tono de porrista sin aire) también lo es.

No somos depositarias de un llamado a poblar el mundo. Nuestra única responsabilidad es hacer lo que queremos con nuestras neuronas, nuestro vientre y, en general, nuestro presente y nuestro futuro. Ser una mujer heterosexual, lesbiana, asexual, no debe dictar nuestras decisiones ni comportamientos. El mundo es demasiado complejo como para basar decisiones en el nivel de estrógeno o el número de óvulos que nos quedan. O porque algún imbécil nos hizo creer que una mujer sin hijos está incompleta.

10. EL AMOR COMO DEBILIDAD

Sherlock Holmes fue retratado como alguien frío, muy orgulloso de su racionalidad y que despreciaba cualquier muestra de afecto o empatía. Holmes era un ser asexuado y racional que tuvo apenas un amago de interés romántico en Irene Adler, a la que se refería como "la mujer", para quitarle toda humanidad y efecto. Eso sí, todos sabemos que Sherlock Holmes era brillante.

Sheldon Cooper[122] es igual. Carece de la empatía que le permite entender cuándo algo es sarcasmo, es arrogante como Holmes y carece de habilidades sociales básicas. También desprecia al amor como sentimiento, por lo que su relación con Amy Farrah Fowler es un recurso cómico fácilmente explotable.

Ambos serían diagnosticados con algún tipo de síndrome. Más allá de eso, y limitándonos a lo planteado por su creador, Sherlock y Sheldon tienen en común su desprecio por el amor y los sentimientos

---

122 *The Big Bang Theory.*

en general. El amor, para ellos, es mundano, una tara, un obstáculo y una pérdida de tiempo. El no "ser víctimas de tal lastre" los ubica en un nivel superior de racionalidad e inteligencia. Son autosuficientes.

Es como si el amor nublara los sentidos y nos hiciera, a nosotros los mundanos, menos inteligentes y nos acercara a las bestias. O a los delfines.

CANCIÓN AL PLEBEYO

Míralos Moriarty, míralos Will.
Los indefensos mortales se quieren divertir.
Se enamoran y se besan, con singular destreza
como si de sus babas saliera mayonesa.

Oh mira a las plebeyas
sin pena ni confianza en ellas ni en sus cabellos.
Van por el mundo buscando a un gentil caballero
que las lleve a su feudo
Y les diga "oh, sin ti vivir no puedo".

Y míralos a ellos,
calentando su egos y comprando diamantes
para sus amantes.
Porque un judío y un jesuita
les dijeron que eso era elegante.

Oh míralos Will, oh míralos Moriarty.
Sólo tú puedes ser mi discrepante
porque no crees en las vaguedades de los corrientes mortales.
Ni en abrazarme, ni en besarme, ni en cogerme, ni en desenfrenarte.
Nada de sentimientos sin cabeza ni lógica.
Por eso mejor, unámonos a la logia.

Oh míralos... la la la lalalaralaaaaa.

El amor, entonces, nos expone, nos hace vulnerables. *Por algo en las películas de Steven Seagal o Bruce Willis la hija o la esposa se vuelven rehenes de los terroristas, para así someter al héroe a todo tipo de exigencias que van en contra de sus principios y de la seguridad nacional.* Ya lo habíamos visto con el sexo casual: si usamos al otro como simple proveedor de placer, cobramos una autonomía y un control que no teníamos antes cuando el sexo y el amor iban de la mano. Usar al otro nos hace Sherlock Holmes. Y es mejor ser Sherlock Holmes que Emma Bovary. Esperar amor nos hace necesitados. Dar amor nos hace vulnerables.

Nosotras no tenemos mucha autoridad moral ni intelectual en el tema. Finalmente Elvira es conocida como "La Tapia" y Susana como "La máscara más pesada del Oeste". Por eso vamos a dejar que el tao, o Stephen Russell, lo digan, a ver si de paso aprendemos un poquito:

> "La vulnerabilidad es el único estado auténtico. Ser vulnerable significa estar abierto para ser herido, pero también para sentir placer. Estar abierto para las heridas de la vida significa también estar abierto para la generosidad y la belleza. No enmascares o niegues tu vulnerabilidad: es tu bien más preciado. Sé vulnerable: asústate con ella. La nueva bondad que viene a ti, en la forma de personas, situaciones y cosas sólo puede venir a ti cuando estás vulnerable, es decir, abierto"[123].

***

Somos víctimas de una liberación malentendida en la que creímos que para ser libres debíamos comportarnos como hombres, sin entender que ellos también son esclavos de sus propios tabúes y máscaras. Entender mal la "liberación" nos ha llevado a cometer errores a tal punto que muchas de las cosas que hacemos son mutaciones del sueño de las *suffragettes*. La "liberación" no es hacer igual lo que los hombres hacen mal, sino lograr un mundo en el que los géneros no

---

123 Traducción nuestra. Fragmento orginial: *"Vulnerability is the only authentic state. Being vulnerable means being open, for wounding, but also for pleasure. Being open to the wounds of life means also being open to the bounty and beauty. Don't mask or deny your vulnerability: it is your greatest asset. Be vulnerable: quake and shake in your boots with it. the new goodness that is coming to you, in the form of people, situations, and things can only come to you when you are vulnerable, i.e. open".* Stephen Russell, Barefoot Doctor's Guide to the Tao: A Spiritual Handbook for the Urban Warrior. 1999.

importan y en el que todos tengamos la libertad de hacer y convertirnos en lo que queramos.

Se trata de que hombres y mujeres construyamos juntos un modelo de sociedad igualitario, en el que el control se comparta, en el que tomemos las decisiones sobre el sexo juntos, en el que ambos busquemos el placer del otro. Aunque las mujeres hayamos sido víctimas de su control y uso autoritario del poder, los hombres no son el enemigo, el amor no es debilidad y la vida es mejor cuando se disfruta en equipo. La liberación es poder decidir ser libres, hacer lo que queremos sin límites impuestos por juicios o estereotipos.

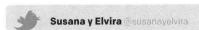

Susana y Elvira @susanayelvira

Cuando era chiquita decía "salta aquí y reclama un mosco". Hoy, desafortunadamente, me siento muy cool y madura para hacerlo.

PARTE 4

Lo entendimos todo mal

"PERRA PERO NO FEMINISTA"

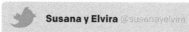

Susana y Elvira @susanayelvira

Susana posa su cerveza sobre la mesa con cara de "qué coños hago acá". Elvira le dice, "y ud. qué", a lo que responde: "Estoy vehemente".

Es hora de mirar hacia adelante sobre nuestro rol en el mundo, pero un poquito atrás en la forma como asumimos nuestras relaciones y la liberación. Debemos entender que la solución que le encontramos al yugo resultó ser un mutante poseído que nos ha traído algunos problemas; y que no, los hombres no son el enemigo. Podemos querer, admirar y respetar a los hombres y ser feministas a la vez. Si hay un punto que demuestra que debemos ser pensados más allá de nuestros géneros, es que somos in-di-vi-duos y que en el gran universo de hombres hay unos buenos, unos malos, unos despreciables, unos bobos, o si no pregúntenle al mentado Beto Barreto. O a Vitto, si se lo llegan a encontrar en el gimnasio. Igual con las mujeres. Hay unas muy chéveres y otras no tanto. Así que, señoras y señores, no se trata de pipís o vaginas, se trata de humanidad, de quiénes somos, qué pensamos y qué le traemos al mundo más allá de CO_2. *Porque creemos que aunque Paris Hilton sea mujer, le ha aportado al mundo muchísimo menos que el muy arrogante Mark Zuckerberg.*

No se trata de que las mujeres seamos mejores que los hombres por nuestra sensibilidad y empatía con el mundo. No se trata, tampoco, como supone el feminismo ginocéntrico, que los hombres han destruido el mundo con su violencia, muerte, egoísmo, sexualidad y represión del cuerpo y que por eso nosotros debemos tomarnos el mundo y hacerlo todo rosado, como en *Legally Blonde*.

"La forma como somos socializadas y nuestro rol natural de madres nos da la capacidad de aportar, estimular y contribuir; y nos da un sentido de cooperación con la sociedad que puede ser la única salvación del planeta [...] La personalidad que las mujeres desarrollan por cuenta de su maternidad las hace propensas a sentirse más conectadas con los demás que los hombres. La menstruación, el coito, el embarazo, y la lactancia —que desafían las barreras del cuerpo— les dan a las mujeres un vínculo constante con la naturaleza"[124], escribe una académica feminista sobre el feminismo ginocéntrico, y nosotras decimos ¡popó de toro con moscos! Porque no se trata de nuestro derecho natural a las cosas, como tampoco ha sido el derecho natural de los hombres de estar a la cabeza. Se trata de que todos seamos iguales, que no dejemos que determinismos biológicos equivocados y útiles para que algunos nos digan qué podemos hacer, cómo hablamos, cómo pensamos y que podemos tomarnos el mundo como rechazo a la opresión.

Popó de toro con moscos

La cosa es, entonces, así de simple:

"Un feminista es cualquiera que reconoce la igualdad y la humanidad completa de hombres y mujeres". - Gloria Steinem.

"(El feminismo) es una creencia, una política, basada en un hecho simple: las mujeres son seres humanos que importan tanto como los hombres. Eso es todo lo que el feminismo pretende. Como seres humanos, las mujeres tienen el derecho de controlar sus propios cuerpos, caminar libremente por el mundo, entrenar sus mentes y cuerpos, y amar y odiar por voluntad. Sólo aquellos que desean seguir coaccionando a las mujeres a la clase sirviente/esclavo de los hombres no pueden aceptar este principio". - Marilyn French.

Por otro lado, señor o señora que sigue atacando a las feministas por ser —supuestamente— lesbianas trasnochadas y peludas que

---

124   Young, Iris M., "Humanism, Gynocentrism and Feminist Politics", en *Theorizing Feminisms*. 2006, p. 181.

rechazan cualquier tipo de gesto de gentileza, amor o caballerosidad por parte de los hombres, y que quieren apropiarse del poder como en el *Planeta de los Simios*, piense dos veces en lo que significa ser feminista, porque usted, sin saberlo, puede ser una o un feminista. Enhorabuena.

Pero ojo, uno de los principales mitos sobre el feminismo es que todas, por el simple hecho de ser mujeres somos feministas. Kaitlin Moran dice que tener una vagina nos hace feministas, y Jessica Valenti, así como otras autoras de "credos", *statements* y portales feministas, asumen que el simple hecho de ser mujeres ya nos hace miembros del club. Pues no es así, señoras Moran y Valenti, lo que alguien tenga entre las piernas no tiene nada que ver con su ideología. Vean no más a Sarah Palin. O a cualquier mujer que con vagina y todo crea que el mundo debe ser nuevamente gobernado por monarquías, que debemos volver al mercado de los esclavos, y que los judíos se merecían el exterminio. Pues no, ellas no merecen llamarse "feministas".

Internet, E!, TMZ, Fox, TV Azteca, Laura Bossio, Adela Noriega y crecer en un lugar como éste (Colombia), nos ha permitido entender que, en no contadas excepciones las mujeres pueden ser más machistas y sexistas que los mismos hombres. Y que los hombres, con pipí y todo, señoras Moran y Valenti, pueden ser feministas.

Por cierto, qué pereza ese discurso de la vagina. No más vagina parlanchina, no más "posee tu vagina", no más vagina intelectual con sentimientos. Fin del hipervínculo.

Estamos en un momento de transición.

1. ¿DÓNDE ESTAMOS?

Tenemos que reconocer que estamos mejor que nuestras abuelas y nuestras mamás. Tenemos libertad (hasta cierto punto), igualdad (hasta cierto punto), garantías laborales (hasta cierto punto) y poder de decisión (hasta cierto punto). E, incluso, los machos dominantes están en vía de extinción. Pero todavía nos falta, nos falta mucho. Aquí mostramos algunos aspectos de nuestra realidad que tienen potencial de mejora.

SER MUJER COMO INSULTO

En un país en el que nuestra "irreverencia", "desparpajo" y "espontaneidad" nos permiten insultarnos y llamarnos de todas las formas políticamente incorrectas posibles *porque es que como el colombiano es tan dicharachero, simpaticón y alegre,* la palabra "feminismo" se convirtió en una suerte de insulto. "Que me digan perra pero no feminista", dice Pepa, la hija de doña Gertrudis y don Esteban. Doña Gertrudis, a su vez, le confesó entre lágrimas a su amiga Eugenia el día que Alvarito salió del clóset, "prefiero un hijo ladrón pero no marica". Doña Gertrudis es la esposa de don Esteban del que ya les hablamos antes, quien el día que Alvarito salió del clóset estaba viendo el noticiero y exclamó "¡coñoooo, ese senadó si ej inteligente porque se robój una cantidaj de plata del hojpital y nunca lo cogieron, eeeeerrrrrrrda!".

Si ser feminista es malo, ser mujer, o portarse como mujer, es perverso. Es bien frecuente oír "já, Alvarito es culo 'e mujedcita", o "¡Pepa corre como una niña! juaaaaa". O "él es la vieja de la relación". Porque por cuenta de porristas hormonales y estereotipos exitosamente difundidos, las mujeres somos lloronas, celosas, histéricas y todas esas cosas que vimos en la primera parte de este libro. Ser mujer, además, significa no saber manejar, o manejar mal, ser pésimas para los deportes, y carecer del chip que permite ser lógico y racional. Y por estos estereotipos somos víctimas de chistes como "¿qué hubiera pasado si Isaac Newton hubiera sido mujer? —nada, porque en lugar de descubrir la gravedad hubiera dicho 'ay, me están pensando por M'". Já.

En esta sociedad de entes preocupados por el falo —"falocentrista" dicen algunos— nosotras somos menos porque no tenemos pipí. Como si algo nos faltara o como si escondiéramos algo. Como si careciéramos del segundo cerebro que da el poder intelectual y físico, como lo vimos en la parte 2 de este libro. No pipí = no cerebro. *Confirmado: la campaña de mercadeo de los hombres ha estado centrada en que piensan con el pipí. Esto ha sido conveniente pero falso.*

En algún momento fueron las mismas feministas las que desviaron el discurso y hubo una corriente que lo radicalizó al punto de convertirlo en una caricatura. *Como en el Corán, que según un loco radical llama intifadas, sharias y toda suerte de perversiones, pero que no hay tal.* En ningún lado Simone de Beauvoir —la gran e imperfecta heroína feminista— dice que los hombres son el enemigo, que rechazar nuestro ser heterosexual es el fin último, ni que la maternidad nos acerca a las bestias primitivas. Aún así, a una extremista se le ocurrió llevar la causa hasta tal punto, y un loco misógino aprovechó la oportunidad para convertir el radicalismo en debilidad y en una verdad de a puño para desvirtuar y ridiculizar al feminismo y, por eso, hasta nuestros días, el rótulo feminista llega acompañado de improperios, malentendidos y axilas peludas.

A las feministas nos insultan con lo que más nos debe doler: nuestra belleza y esa feminidad que nos metieron en la cabeza las propagandas de toallas higiénicas. La exitosa campaña de mercadeo en contra del feminismo, entonces, nos llenó de ideas equivocadas que ya se convirtieron en una suerte de insultos y clichés:

» INSULTO # 1

Que somos peludas. Según los estándares impuestos por el mercado (ver parte 1 "mujeres como consumidoras") los pelos en las mujeres son asquerosos, muestra de una involución y de falta de *sex appeal. Como si los pelos enquistados en la espalda de un hombre fueran muy sexys. Fin del hipervínculo.*

Y otro hipervínculo: Susana, por ejemplo, está tan lavada de cerebro, que ve la axila peluda de Julia Roberts y por más feminista que sea le da un asco solo superado por las tetas con tumores que comparten en Facebook.

Entonces las feministas somos tan poco femeninas (*ergo* mujeres) que no cuidamos lo más básico de nuestra feminidad actual: la piel libre de pelos. Gracias Gillette y gracias hombres. Para su información, las feministas también nos hacemos la cera, aunque eso implique seguirle el juego al mercado y a quienes crearon el modelo de belleza lampiño.

¡Popito de toro bebé!

Popito de toro bebé

» INSULTO # 2

Que somos marimachos. De nuevo la cacareada feminidad. Esto tuvo que ser invento del mismo misógino que creó todos los clichés, o de una victoriana loca a la que le estaba faltando oxígeno al cerebro por cuenta del corsé. O de un entrenador de reinas de la época. *Así como la guerra es mantenida por los militares y los vendedores de armas, los reinados son mantenidos por los señores Angulo, Trumph, Barraza y Osmel Souza, entre muchos otros que se lucran de las porristas, las mujeres que hablan chiquito, que cruzan las piernas para sentarse y todo eso.*

Esa idea protocolaria y etiquetada de la feminidad es tan falsa como el socialismo del siglo XXI de Chávez (alma bendita) y secuaces. Eso sí, creemos en los modales y la delicadeza. Pero no la delicadeza impuesta por el género, sino por el sentido común.

¡Popó de toro!

Popó de toro

» INSULTO #3

Que odiamos a los hombres. Según el cliché, las feministas estamos llenas de odios: que odiamos a los hombres, que odiamos a nuestros papás, que odiamos las máquinas de afeitar, que odiamos a Britney Spears. ¡Falso, falso, falso! Para querer cambiar la forma como hombres y mujeres nos hemos relacionado, no se necesita que un profesor de filosofía nos haya violado en cuarto de primaria. Y podemos ser tan *zen* como cualquier Lindsay Lohan en drogas y con un DUI[125].

¡Popó de toro castrado!

Popó de toro castrado

---

125 DUI "Driving Under the Influence", es como le dicen los policías gringos a los que agarran manejando con un perrón de los siete infiernos, o sea "manejar borracho".

» INSULTO #4

Que somos lesbianas. Este es el insulto más falaz de todos. Porque, primero, para que les quede bien claro, señores y señoras neandertales, SER LESBIANA NO ES UN INSULTO, ni tampoco una enfermedad, ni una desviación, ni un delito, ni un castigo divino, como ya lo dijimos. Y segundo, porque podemos ser tan heterosexuales como cualquier porrista, o tan lesbianas como cualquiera en *Orange is the New Black* ¡Y podemos seguir pensando lo mismo!

Cacca di toro castrato

¡Cacca di toro castrato!

» INSULTO #5

Que somos feas. Y gordas. Somos feas, *ergo*, no les gustamos a los hombres, *ergo*, [leer el fragmento a continuación en voz alta, sin hacer pausas ni respirar le dará un efecto dramático al *statement*] fuimos vírgenes hasta los veinticinco cuando nos volvimos lesbianas y una marimacho llamada Clemencia nos quitó la virginidad con un vibrador de cincuenta centímetros llamado Rodolfo Schwarzenegger... *¿En serio?* Y si a eso le sumamos que tenemos el "infortunio" de ser gordas, "porque somos gordas por perezosas y glotonas", pues estamos condenadas a contentarnos con cualquier avión cayendo (si es que tenemos la suerte de ver caer alguno) y a vivir con el desprecio de los hombres, que por cierto, son todos divinos, churrísimos, inteligentísimos y flacos. En este mundo, según esta falacia, no hay espacio para tanta "gorda fea", feminista y lesbiana por defecto.

Popó de toro con moscos

¡Popó de toro con moscos!

» INSULTO #6

Que somos sexualmente frustradas. Porque como somos peludas, marimachos, lesbianas, feas, gordas y odiamos a los hombres, pues nadie quiere hacernos el favor de comernos. Ah, y de paso, acá entra eso de "la independencia". Entonces, volvemos a las pilas recargables de Rodolfo Schwarzenegger con quien saciamos un poco nuestro mal nutrido apetito sexual, para después acostarnos en posición fetal y llorar a escondidas porque no nos come ni el óxido. Así que no nos queda de otra que joder... y odiar a los hombres... y pensar en cómo, con nuestra empatía, independencia y vientre, nos tomaremos el poder.

¡Volquetada 'e mierda!

» INSULTO #7

Que somos infelices e inconformes. Pues... primero, la felicidad está sobrevalorada. Nos hicieron creer que tener una gran sonrisa es lo mismo que ser feliz y que, como Cenicienta, debemos recibir un nuevo día cantando melodiosas canciones al son de pajaritos silbadores. Pues no. La felicidad puede venir en forma de *cupcake* de chocolate con crema de chocolate y chips de chocolate, o en forma de película francesa. O de cera egipcia antes de un viaje a la playa. Y no es constante sino que tiene los mismos picos del dólar en 2008.

Segundo, un estudio aseguró que, aunque las situación de las mujeres ha mejorado ostensiblemente en los últimos cuarenta años, éstas se muestran cada vez más infelices e inconformes, por lo que la investigación hace un vínculo entre la infelicidad y el movimiento feminista[126]. Este estudio suena a popó de toro, pero puede que haya algo de verdad en el hecho de que no sintamos ganas de ir por el mundo cantando "ay, ho, cavar, cavar" como los siete enanitos en la mina, pues a diario nos topamos con limitaciones e inequidades dadas por nuestro género. Además, ¿no ha sido el inconformismo el motivador clave de la mayoría de inventos y adelantos tecnológicos? ¿O es que los Hermanos Wright estaban muy felices con el sistema de transporte de la época cuando inventaron el avión?

Tenemos derecho a estar inconformes porque no vivimos en Felicidonia[127].

(INSERTE AQUÍ UN NUEVO NIVEL DE INDIGNACIÓN
PORQUE YA SE NOS ACABARON)

Y ALGUNOS CLICHÉS Y MALENTENDIDOS

- Nos teñimos el pelo de rojo y usamos gafas de marco grueso.
- No usamos brasier porque preferimos ir por el mundo —y por los huecos de Bogotá— con las tetas libres de su prisión opresora, hegemónica y patriarcal.

---

126   Carpentier, Megan. "Feminism Makes Women Unhappy, And Other Tall Tales", *Jezebel*. 2009. En www.jezebel.com

127   Es ese lugar al que se van los Simpson cuando se unen a una secta. Más informacíin en: Wikipedia http://es.wikipedia.org/wiki/The_Joy_of_Sect

- No tenemos sentido del humor y no nos gustan los chistes.
- Somos unas solteronas ahora, fuimos solteronas en el pasado y seremos unas solteronas *per secula seculorum*.
- Somos unas solteronas tan amargadas que si un hombre se toma el atrevimiento de invitarnos a comer y de pagar la cuenta, le vamos a quitar un brazo de un mordisco porque una feminista no puede recibir un cumplido ni una invitación.
- No usamos tacones, ni nos maquillamos. Y usamos gafas.
- Vivimos con veinte gatos.
- Vivimos furiosas con el mundo porque vivimos amargadas (Y aquí es donde entran los gatos).
- Todas las feministas son mujeres.

HAY QUE, HAY QUE, HAY QUE...

"Y dijo Dios el Señor: 'No es bueno que el hombre esté solo. Le haré una ayuda idónea'", Génesis 2:18.

"Mujer virtuosa, ¿quién la hallará? Su valor excede mucho a las piedras preciosas. El corazón de su esposo está en ella confiado, y nada valioso le falta. Ella le da bien y no mal, todos los días de su vida. Busca lana y lino, y con voluntad trabaja con sus manos (...) Se levanta aún de noche, y provee comida a su familia y labor a sus criadas. (...) Aplica su mano al huso, y sus palmas sostienen la rueca. Alarga su mano al pobre y al menesteroso. (...) Ella misma teje cubrecamas, y se viste de lino fino y púrpura. Su esposo es respetado en las puertas, cuando se sienta con los ancianos del lugar (...) Se viste de fuerza y dignidad, y sonríe ante el día de mañana. Abre su boca con sabiduría y su lengua enseña con bondad. (...) Se levantan sus hijos y la llaman dichosa; y su esposo la alaba, diciendo: 'hay muchas mujeres virtuosas, pero tú las superas a todas'", Proverbios 31:10-29.

"Casadas, estad sujetas a vuestros esposos, como al Señor, porque el esposo es la cabeza de la mujer, así como Cristo es la cabeza de la iglesia y salvador del cuerpo", Efesios 5:22-23.

Y así, nos llenaron de responsabilidades y deberes: porque una mujer debe ser madre, esposa, femenina, una ayuda para el hombre, responsable, digna, honorable, tenemos que estar sujetas a un macho, tener el pelo largo[128] y todas esas cosas que aún hoy repiten, sin interpretación ni juicio, los retardatarios amparados en un libro escrito hace siglos. Así le dan sentido a la tiranía.

Estos son algunos de esos deberes en tiempos en los que nos declaramos un estado secular, y en los que supuestamente la Ilustración y *Melrose Place* hicieron de las suyas.

» HAY QUE SER FEMENINAS (O LA PINCHE FEMINIDAD DE LAS ESCUÁLIDAS RECATADAS)

¿Qué es ser femeninas? ¿Usar falda? ¿Sentarnos con las piernas cerradas y los tobillos cruzados como ministra en posesión presidencial? ¿Saber cocer y remendar calcetines? ¿ayudar a los pobres? ¿Hablar bajito y elegantemente? ¿Usar Chanel No. 5?

Para que no digan que nos volvimos unas reaccionarias criticatodo, hablaremos en positivo, como en la programación neurolingüística, y aceptaremos que valoramos una de las tantas manifestaciones de esa cacareada y vituperada feminidad: *dejarnos atender*. Y nosotras, aunque se nos vengan encima las Lena Dunhams del mundo, creemos que es muy chévere que sea nuestro galán el que a veces pague la cuenta (y no está mal que nosotras lo hagamos también a veces como en un gesto de reciprocidad); flipamos cuando un hombre nos abre la puerta del establecimiento comercial y nos deja pasar antes que él —aunque sea para vernos el culo—; y es muy chévere que nos regalen flores. Esto no nos hace menos *féminas de tiempos modernos*. Tal vez sí nos hace jugar un poquito el juego del sistema, pero dejémosle el fundamentalismo a los wahabis locos, no a nosotras como miembros de una economía que se mueve con la venta de flores exóticas y de chocolates suizos.

En todo caso, podemos aceptar un acto de caballerosidad. *Porque por cierto, tan rico que es que a uno le presten el saco cuando está haciendo frío.* Y ojo que caballerosidad no es lo mismo que dominación y machismo, así como feminismo no es independencia. Caballerosidad es parte del juego en el que la generosidad y empatía ganan, en el que

---

128   Si no nos creen, vayamos a 1 Corintios 11:14-15: "La misma naturaleza, ¿no enseña que al hombre es deshonroso dejarse crecer el cabello? En cambio para la mujer es una honra dejarse crecer el cabello. Porque el cabello le es dado en lugar de velo".

mi chico hace cosas por mí y yo hago cosas por él. Porque esta selva egoísta en la que convertimos al mundo ya está pasada de moda pues demostró su inconveniencia. Como algunas religiones.

Ya lo dijimos en nuestro blog: Cenicienta le patea el trasero a la Mujer Maravilla. Acá van algunos apartes que nos sirven para ilustrar el punto:

» LA DAMISELA EN APUROS VENDE

Todos estos años nos hemos dado contra las paredes por jugar a ser superpoderosas e independientes. Eso no gusta entre el género del héroe venido a menos, al que parecen pertenecer los hombres, por avanzados y modernos que traten de ser. Al fin y al cabo todos queremos sentirnos necesitados. Ellos nos necesitan para unas cosas, y nosotras a ellos para otras. Queridas amigas, acudan a sus galanes: "ay _____ (rellénelo con el mote que quiera, incluso papi, gordo, bebe, pajarito, etc., todo se vale) no puedo abrir el frasco de pepinillos. ¿Me ayudas?". Pidan consejos: "oye _____ (amorcito, osito, príncipe) qué opinas si le pido a mi jefe un aumento? ¿Y qué tal si le digo a Maribel que vayamos de compras?". Tal vez no digan mayor cosa, pero se sentirán relevantes.

» LA LIBERACIÓN ES PARA LAS BALLENAS

Gracias, amigas feministas, es por ustedes que nuestra vida es vida: nuestros sueldos están a punto de ser iguales a los de los hombres, no pueden despedirnos por quedar embarazadas, podemos ser las dueñas de nuestra fertilidad, ya nos juzgan menos por sentir placer sexual y buscar la satisfacción del mismo, y un sinfín de cosas más. Pero años de liberación malentendida nos ha llevado a nosotras dos a pecar por superpoderosas, porque gracias a sus ideas liberadoras, nosotras, las hijas de las madres liberadas, nos tocó asumir papel doble: mitad macho, mitad hembra. A veces es mejor que ellos sean los que se desgasten y expongan invitando a salir, que ellos paguen en la primera cita, que se quemen los sesos pensando a dónde llevarnos.

» SOMOS PRINCESAS

Eso de "tranquilo, no necesito nada de ti porque yo puedo sola" ha llevado a que los hombres a veces nos traten como machos. Y pues no. Merecemos el mejor trato del mundo, bonitos detalles. Que se esfuercen y, aunque las esquelas perfumadas son lobas, sabroso que llamen y no solo texteen; que si un día nos da el antojo de fritanga con malteada nos lleven a la fritanguería y nos consigan la malteada, sin criticar, y solo por complacer. Que nos abran la puerta del carro y nos ofrezcan su chaqueta cuando salimos por la noche, poniendo por encima su salud y potencial neumonía sobre nuestro bienestar. Sólo a veces. Y claro, nosotras podemos hacer lo mismo por ellos.

» LA RECIPROCIDAD ESTÁ IN

Sí, merecemos invitaciones y fritanga con malteada, y ellos también. Merecemos que un día de enfermedad nos lleven sopa a la cama, y ellos también. Merecemos que un día nos hagan comida con velas, y ellos también. Merecemos que un día lleven nuestra ropa a la lavandería, y ellos también. Y así. Si ustedes están dispuestas a hacer todo eso por ellos, pero ellos no, algo anda mal ahí.

Y digan que ellos son inteligentes, churros, y poderosos, aunque no sea verdad. Si ellos tienen que decirnos que somos lindas por las mañanas aunque parezcamos un mapache rastafari, pues ellos también quieren oír una que otra mentirilla.

Esta es una campaña para volver a lo básico. Sí, la vida cambia, pero la naturaleza es la misma. Algo estaban haciendo bien las abuelas. No creemos en la abstinencia y la virginidad hasta el matrimonio, pero sí en que la liberación malentendida nos ha llevado a cometer errores que han transformado la naturaleza de las relaciones entre hombres y mujeres y, aunque esa evolución nos ha dado autonomía y mucha más felicidad que la que pudieron sentir alguna vez nuestras abuelas, creemos que nos ha sumado unos dramas innecesarios y dolorosos.

Nosotras, Susana y Elvira, hemos vuelto a lo básico. Aun así, seguimos defendiendo los *one night stands*, comer a la carta, echarnos al que queramos, tomar la iniciativa. Pero, después de lustros enteros dándonos contra las paredes, podemos decir que Cenicienta le patea el trasero a la Mujer Maravilla[129].

---

129 "Cenicienta le patea el trasero a la Mujer Maravilla". *Susana y Elvira*. 2012. Web en www.susanayelvira.com

» (NO) HAY QUE SER FEA

El que dijo que las únicas mujeres bonitas son las que pesan cincuenta kilos y miden 1.80 es un misógino. Y los que comenzaron a repetir su babosada, unos borregos.

Estar flaco —o tener un índice de IGC apropiado según su estatura y peso— es una cuestión de salud, no de belleza. También lo es de autoestima, tal vez. Si uno puede caminar más libremente porque el *jean* no le quita la respiración, entonces es más seguro, *ergo*, atractivo. Pero no es por cuánto peso o cuántos miles de pesos tenga puestos en ropa. Yo, Susana, me siento mejor cuando tengo tacones. Mido 1,60 y con unos centímetros de más en mis zapatos no tengo que mirar tan arriba a la gente alta. Eso me da seguridad y muchas cosas buenas pasan dentro de mí, de esas que hablan en los comerciales de tampones: autoestima, seguridad, libertad. La seguridad y la actitud son belleza, aunque la sociedad la haya reducido a pelo, ojos, culo y tetas.

Una amiga le llamaba "el síndrome de la nueva linda" a las mujeres bonitas con actitud. Ella decía que la única forma que una mujer bonita fuera graciosa, es si fue fea en su niñez, por lo que tuvo que desarrollar gracia y humor para contrarrestar su fealdad. Su argumento entra en la línea machista porque implica que belleza e inteligencia son excluyentes. No hay nada más falaz que eso de "la suerte de la fea la bonita la desea".

Cacca

di toro castrato

¡Cacca di toro castrato!

Y siguiendo con nuestra indignación, aumentada en un nivel —¡popó de toro con moscos!— hasta los hombres feos se sienten con poder para hablar, juzgar y descartar a las Beatriz Pinzón del mundo. Vean no más cuánto heredero bajito, calvo y con marcas de acné —o un mafioso fritanguero— se puede dar el lujo de salir con ex reinas veinte años más jóvenes. Y de seleccionarlas como si ellas fueran ganado y él George Clooney. *Claro, porque como el trago, el poder y la plata embellecen a cualquier garnufia.*

Ah, porque otra cosa: si el bajito calvo con marcas de acné sale con una ex reina veinte años más joven, es un putas. Pero si la heredera sale con un churro veinte años más joven, pobre, la están explotando. Por donde sea perdemos. Y pasa porque dejamos que fueran los hombres los que escribieran las reglas sociales y del apareamiento.

» (NO) HAY QUE SER GORDA

Yo, Susana, hasta los dieciséis años fui flaca y era la pesadilla de mis amigas víctimas de la pubertad porque, contrario a ellas, podía comer como un camionero después de ramadán y no engordar ni medio kilo. Y era tal pesadilla, porque además de seguir flaca, era un gran parche para mis amigos hombres, mientras que ellas con sus lechugas y malteadas hipocalóricas eran un bodrio. Pero de repente todo cambió. Un desorden hormonal y el anticonceptivo incorrecto para tratarlo me hicieron engordar, de repente, suaz, toma tus diez kilos. Era una mezcla rara de retención de líquidos y gordura, vine a notar después.

Entonces, como si tener un desorden hormonal no fuera suficiente castigo del cosmos, mis profesores, hombres y mujeres, comenzaron a decirme que debía dejar de comer como camionero; mis amigos hombres, con los que parchaba en Presto, dejaron de invitarme y empezaron a comentar lo fea que me había puesto. Mis amigas... bueno, ellas estaban en Disney World y no se les antojaba disimularlo. Dejé de ir a los encuentros familiares, porque cualquier pasaboca integral sin salsa que me comiera sería condenado con miradas e, incluso, con un "Susi, deja de comer tanto". No bastaba con que yo misma me viera gorda en el espejo y me diera cuenta que había cambiado. Todos me lo tenían que decir.

Porque, les informamos a todas las Madres Teresa de Calcuta de la estética: no tienen que ir por le mundo haciéndole notar la gordura a los pobres menesterosos. El que se ha engordado nota su peso de más. Esto de "oye, Susi, ¿te has dado cuenta de todo el peso que es ganado? Te lo digo porque te quiero, para que lo notes y tomes las medias respectivas" no es un favor que una amiga/tía/novio le hace a otra. Es maldad y sevicia. Morbo. Porque, para dejarlo claro, así uno no tenga pesa en la casa, el jean o el saco apretado hacen notar el más ligero cambio de peso, sobe todo si son más de cinco kilos. Así que no, alguien que ha subido de peso no necesita la "objetividad" de alguien.

La adolescencia es una cosa asquerosa. No solo porque nuestro cuerpo empieza a cambiar y no sabemos para dónde es que va a agarrar, sino que no tenemos la más mínima idea de qué es lo que se supone que hacemos en este mundo, por lo que decidimos entrar en modo víctima en el que todo y todos están equivocados, y claro, en nuestra contra. Somos seres frágiles, indefensos y perdidos. Y harto tenemos en nuestras manos como para que además, nos rematen con comentarios y juicios que nos pongan a dudar de ese cuerpo en proceso de transformación que no logramos entender, hasta el punto que lleguemos a odiarlo. Y lo siguen haciendo a lo largo de nuestra vida porque no tenemos un cuerpo digno de exposición de las pasarelas de Milán, París y Nueva York.

Si de repente a los quince vemos que ya las piernas escuálidas que siempre tuvimos empiezan a agrandarse y tenemos un séquito de irresponsables que nos empiezan a repetir y repetir que nos estamos engordando (algunos pensando que nos están haciendo un favor restregándonos en la cara lo que ya vemos en el espejo), pues las posibilidades de llegar a la adultez con las piernas de Gwen Stefani son mínimas, y si lo logramos, ¿qué precio tuvimos que pagar por ellas?

El mundo está lleno de mujeres absolutamente encantadoras que para estándares médicos y falaces tendrían un poco de sobrepeso, y que, según Miguel Ángel, no cumplen con un estándar de belleza simétrico y saludable. Ni mucho, mucho menos el estándar establecido por el "zar de la belleza" don Osmel Souza. Nadie tiene por qué juzgarnos por la talla de los *jeans* en que cabemos. Así, como hay tetas de todos los tamaños y formas, también las nalgas vienen en una gran variedad de tallas. El mundo no fue diseñado exclusivamente para gente flaca, los flacos no son mejores que los gordos, ni son los únicos que tienen cabida en el mercado sexo-afectivo. Ni en cualquier mercado. *Tal vez en la clase económica de los aviones, pero ese es otro asunto.*

Así los medios de comunicación, Hollywood y las campañas publicitarias nos hagan creer lo contrario, el mundo y el éxito no es exclusivo de los flacos. Porque es cierto que "de todo hay en la viña del Señor". Vean no más el complejísimo mundo de los fetiches. Así como hay gente que le paga a otros para que los encadenen y les den latigazos, hay otros que encuentran el máximo placer con personas obesas. El mercado existe, de lo contrario no habría gente como Susanne Eman que se embarcó en la misión de convertirse en la mujer más gorda del mundo, pues descubrió que mientras más peso ganaba se sentía más sensual y con mayor confianza.

Bien por Susanne, mal por sus arterias coronarias.

» (NO) HAY QUE PONERSE BIKINI

(O POR LO MENOS NO TODAS PODEMOS)

En general nadie, pero nadie, debe interponerse entre un bikini y uno; nadie debe impedirnos hacer algo que queremos esgrimiendo argumentos arcaicos y carentes de toda libertad y raciocinio. No.

Y tampoco las que no fuimos bendecidas con un cuerpecito piscinero tenemos que unirnos a movimientos instagrameros tipo "#fatkini" para justificar lo que no necesita justificación. Si yo, sabiendo que nunca me voy a ver como Alessandra Ambrosio, me siento orgullosa de mi cuerpo o por lo menos logré aceptarlo después de mucho esfuerzo, y sé que tengo el mismo derecho de ella a ponerme un bikini porque se me da la gana, de broncearme y de salir a saltar por las olas aunque mis gorditos le molesten a alguien, ¿cuál es la necesidad de justificar lo que no debe importarle a nadie? ¿Para qué ponerme a publicar fotos mías en bikini con *hashtags* que además deben ser complementados con otros que cierran el círculo de la vergüenza que nos obliga a justificarnos porque *atentamos contra la estética de las playas*? *#beautiful #real #bodypositive* ¡Popó de toro!

Popó de toro

Ponerse un bikini no tiene por qué ser un acto de valentía, ni una posición política. Todas tenemos el derechos de usarlo para chapucear como Willy en una piscina sin que tengamos que andar excusándonos con la humanidad "qué pena por mis gordos y mi celulitis #fatkini #beautiful". ¡No! Incluso podemos pavonearnos por las playas de Ibiza en un trikini amarillo pollito que no le luce ni a la mismísima Emily Ratajkowski, si se nos da la regalada gana.

Porque para ponerse un bikini sólo hay que... querer ponerse un bikini. Eso es todo lo que se necesita. Si sus novios se sienten avergonzados porque ustedes no se parecen a Gisele Bündchen, échenlo por imbécil. Pero díganle que lo echan porque no tienen el cuerpo de Ryan Gosling, ni la inteligencia de [aquí el nombre de cualquiera que él considere inteligente, que ojalá conozca], ni la fortuna de Mark Zuckerberg. Ah, y que además son tan aburridos como Kevin Arnold, y tan calvos y prepotentes como Donald Trump.

» ¿EL FEMINISMO ESTÁ MUERTO?

Al parecer el discurso promovido por los enemigos de las sufragistas ganó, porque las feministas pasaron de ser revolucionarias y *cool* en los setenta, a ser unas peludas, gafufas, retrógradas, locas, cansonas, extremistas y misándricas en los noventa. Y aquí estamos hoy, teniendo que defender la palabra feminismo ante personas de todas las ideologías que creen que el feminismo huele a naftalina. Y pues no, el feminismo sigue vivo y es *cool* de nuevo, aunque lo veamos deformado en algunas ideas postmodernas:

Si me divorcio me merezco la mitad de lo que él tiene por el resto de mi vida.

Merezco estar en el Senado así no tenga preparación alguna, porque para eso está la ley de cuotas.

Merezco la custodia de mis hijos porque aunque sea una drogadicta desempleada tengo las de ganar.

Merezco una beca universitaria aunque me la haya pasado mirando para el techo en el colegio.

Me merezco todo esto porque soy feminista y porque soy mujer.

¡Popó de toro con moscos!

Popó de toro con moscos

Estos enunciados son tan absurdos como lo que viene a continuación: *El frágil feminismo no es la fanfarronada de una fufurufa farrera que busca que le faciliten la fanfarria para fantochar con el feudo filigranero.* Es que la ignorancia es atrevida.

» LA IGNORANCIA DE DOLORES

Alguna vez yo, Elvira, conocí a una mujer a la que llamaré Dolores. Gritaba a los cuatro vientos que era feminista y, decía que como era mujer se merecía un montón de cosas simplemente por algún tipo de justicia que el universo le debía a manera de redención sobre las mujeres que fueron oprimidas por los hombres durante siglos. Como si ella fuera algún tipo de Mesías con derecho de nacimiento. La diferencia entre ella y el Mesías, era que Dolores no se tomó ni siquiera el trabajo de buscar la palabra "feminismo" en el diccionario, o por lo menos buscar un video en YouTube para no tener que leer. Una de las cosas que decía merecer era, por ejemplo, "un sueldo más equitativo al de su jefe" aunque ella no tenía más de cuatro años de experiencia y era más bien mala en lo que hacía. ¿Y por qué? Porque era feminista y las mujeres merecían tener las mismas oportunidades que los hombres.

Qué fácil es malinterpretar. Dolores tenía razón en que hombres y mujeres merecemos las mismas oportunidades y estar en igualdad de condiciones como miembros de una sociedad. Pero no *porque ajá*, como Dolores pretendía. Es que Dolores era como un alemán ignorante en 1941 que apoyaba el exterminio Nazi aunque en la vida nunca leyó, o escuchó, o hizo el menor esfuerzo para saber de qué demonios se trataba la doctrina, ni se tomó el trabajo de preguntar por qué los judíos merecían desaparecer de la faz de la tierra, sino que simplemente lo aceptó porque todos a su alrededor lo hicieron.

Dolores debería saber que si quiere tener el mismo sueldo de su jefe, debe trabajar por ello. Nadie se merece nada gratis. Nos merecemos lo que tenemos porque es por lo que hemos trabajado. De eso se trata el feminismo: de buscar la igualdad entre hombres y mujeres en una batalla justa por el simple hecho de que los dos pertenecemos a la raza humana y llegamos a este mundo exactamente de la misma manera. Es así de simple.

No se trata de géneros, roles, supremacía, hegemonía, opresión, mayoría, poder... El feminismo defiende el simple hecho de que hombres y mujeres somos iguales en nuestros derechos y deberes. ¿Tenemos que decirlo de nuevo? No se trata de géneros, roles, supremacía, hegemonía, opresión, mayoría, poder... El feminismo defiende el simple hecho de que hombres y mujeres somos iguales.

Pero entonces por cuenta del triunfo de los insultos, de las malinterpretaciones y de la efectiva campaña de mercadeo en contra del feminismo y de las feministas, éste entró en un letargo de casi dos décadas. Y apenas está asomando la cabeza de vuelta, no sin antes haber tocado fondo.

En junio de 1998 la revista *Time* salió con un artículo de portada titulado "¿El feminismo está muerto?", en el que comparaban la lucha feminista en los setenta con la de finales de los ochenta y noventa, y fijaban a Ally McBeal y a las Spice Girls como epítomes de esa transformación. "El feminismo en los sesenta y setenta estaba inmerso en investigaciones y obsesionado por el cambio social; el feminismo hoy está casado con la cultura de las celebridades y el egocentrismo"[130], escribió el autor de la nota, en la que además cuestiona la explosión de historias como la ya mencionada Ally McBeal y Bridget Jones, tan enfocadas en sus ex novios e historias románticas y sexuales. "El problema con Bridget y Ally es que son presentadas como arquetipos de soltería, aunque no sean mucho más que neuróticas frívolas"[131]. No nos malinterpreten, todos saben que amamos a Bridget —no tanto a Ally— y creemos que hizo algo importante por alejar a las mujeres de ese estereotipo de Barbie flaca con cara de ponqué. Pero tal vez los hábiles promotores de la película nos hicieron tragar el cuento de que una mujer independiente y real era simplemente la que decidía buscar o no marido, fumar como una chimenea, hacer el oso, comerse a narcisos para luego escoger al tibio. No vimos que la de Bridget es apenas una parte de la realidad. Y que la de Ally... bueno, Ally McBeal es otro cuento del que no podemos hablar porque nunca pasamos del primer episodio con el bebé bailarín, el baño mixto, el drama con el ex novio casado y todas esas cosas tan "postmodernas" que sirven tan bien para el punto de *Time*.

Porque el artículo va más allá:

"El concepto de feminismo es usualmente mal aplicado. Miren por ejemplo cómo el rótulo es puesto: cantantes femeninas como Meredith Brooks y Alanis Morisette fueron nombradas íconos del poder femenino (al lado de artistas y activistas reales como Tori Amos) simplemente porque cantan sobre su mal genio y los novios que las echaron. Al final de los 60, cuando el rótulo era puesto con moderación, nadie pensó en llamar a Nancy Sinatra "feminista". Pero si hubiera grabado 'These boots are made for walking' en 1998 seguramente hubiera abierto el Lilith Fair [un festival de música hecha por mujeres]"[132].

Usamos este artículo porque, aunque fue escrito hace dieciséis años, seguimos recurriendo a estereotipos, no solo para atacar el feminismo, sino para alabarlo y declarar feministas por doquier.

---

130   *Time Magazine*, Is feminism dead? Junio 29, 1998.

131   Ibid.

132   Ibid.

No es contradictorio, sino que en esta etapa de transición en la que nos encontramos hay anti-feministas, pseudo-feministas y feministas, todo a la vez.

Ya tratamos el caso de las gorditas que publican sus *selfies* con los *hashtags* vergonzantes y más adelante hablaremos de las celebridades que encontraron un estatus en proclamarse como feministas. Pero por ahora nos centraremos en las que se empelotan como una manifestación de poder y de "hago lo que quiera con mi cuerpo". En la mayoría de casos está regio pues, insistimos, debemos aceptar nuestros cuerpos con estrías, arrugas, celulitis y piernas flacas o gordas. Y nadie nos puede criticar o violar porque mostramos lo que queremos mostrar. Sin embargo, no creemos que todas estas manifestaciones puedan ser rotuladas como "feministas".

Por ejemplo la rapera Nicki Minaj hizo las mieles de los medios feministas cuando decidió publicar la foto de su trasero en la portada de su disco. El sitio ultrafeminista Jezebel.com declaró la portada como "valiente" porque, entre otras cosas, Minaj abandonó su peluca rosada y porque, tal vez —y aquí estamos elucubrando—, tiene tenis y no tacones, y no está tan maquillada como siempre, y porque... no sabemos. Jezebel y Mic.com, además, destacaron que en el primer sencillo del disco, "Anaconda", hable abiertamente de su sexualidad y empodere a las mujeres de traseros grandes. Y ahí nosotras decimos ¡popó de toro con moscos!

Popó de toro con moscos

Vamos por partes para explicar por qué esta es una gran falacia:

- **Premisa pseudofeminista # 1:** *bien por Nicki, pues está orgullosa de su cuerpo.*

Pues no. Si estuviera tan orgullosa de su cuerpo no le hubiera hecho Photoshop a la foto. En Internet hemos visto algunas fotos supuestamente originales en las que se ven los pliegues en la piel de su espalda, la celulitis en sus nalgas y su piel no tan uniforme ni tan clara. Finalmente, es natural que unas nalgas de ese tamaño —o de cualquier tamaño— tengan un poco de celulitis y que la piel de la espalda se arrugue cuando uno hace tal contorsión. Y no vimos nada de eso en la foto publicada, por lo que, insistimos, si Nicki fuera tan feminista y premiara tanto el realismo de las formas femeninas, no hubiera dejado que su foto pasara por el nefasto sofware vendedor de mentiras.

- **Premisa pseudofeminista # 2:** *En su canción "Anaconda" rompe prejuicios sobre el cuerpo femenino como objeto sexual.*

A favor de Nicki Minaj decimos que se está burlando de una canción de 1992, "Baby Got Back (I Like Big Butts)", que fue bien criticada porque básicamente convertía a los traseros grandes en su objeto del deseo. *El video fue censurado por MTV y desató la ira de las feministas en aquel entonces. Aún así fue el segundo disco mejor vendido de año, después de* I will always love you *de Whitney Houston.* Entonces Minaj, en un arranque de feminismo parcial decide decir "sí, los culos grandes son chéveres y no hay que matarse de hambre para gustarle a un hombre". Bien por ella. Pero desafortunadamente sigue jugando el juego. Primero, al mandar el mensaje "mi estética y lo que quiero con mi cuerpo está atado al placer sexual que despierto en otros"; y, segundo, al atacar la objetivación de las mujeres objetivizando a los hombres.

- **Premisa pseudofeminista #3:** *La canción es empoderadora al mostrar a la mujer como la predadora y no la presa.*

Minaj y estos sitios feministas no entienden que no podemos pedirle a los hombres que nos dejen de convertir en objetos sexuales convirtiéndolos a ellos en lo mismo. O como lo hicieron las feministas reaccionarias cuando Robin Thicke salió con Blurred Lines y ellas publicaron su versión, simplemente, mostrando hombres en boxers. La ley del Talión se probó inefectiva hace mucho tiempo.

Entonces no cualquiera es una feminista. Porque apreciar unos kilos de más, hablar abiertamente de su sexualidad y vivirla libremente no es suficiente para hacer a una mujer feminista. Mucho menos empelotarse que porque dizque "soy lo suficientemente fuerte e independiente para mostrar mi cuerpo tal y como es". No nos sirve este feminismo que celebra la sobreexposición de las nalgas y las tetas y la abraza como expresiones de poder. No hay libertad en mostrar el culo para vender más discos, o las tetas para promover causas. Cada quien hace lo que quiere con su cuerpo, pero a la exposición tras un fin llamémosla "exposición tras un fin" y no empoderamiento. Jesús es verbo no sustantivo y el feminismo no es un eufemismo.

Y aquí una canción para inspirar a nuestro muso Ricardo:
Las feministas que pintan acuarelas en la cama
son las mujeres por las que hacemos lo que nos pidan,
menos matar cigüeñas de vez en mes,
laralalala.

Fin del hipervínculo del alucinógeno.

El feminismo no está muerto porque todavía lo necesitamos, como a Patrick Swayze, a Robin Williams y a Pacheco. Pero hoy, como en 1998, "reconocer los estereotipos atados al sexo es una cosa, pero resistirse a ellos efectivamente es otra"[133]. Por eso debemos retomar el rumbo y volver a lo básico.

---

133   Ibid.

2. EL FEMINISMO *VINTAGE*

Susana y Elvira @susanayelvira

Algo debemos estar haciendo muy mal como sociedad si es noticia que "nombraron a una mujer en el equipo negociador del proceso de paz".

Cuando Ricky Martin salió del clóset fue noticia y volvió a serlo cuando decidió adoptar un vientre para tener hijos; cuando Taylor Swift dijo que era feminista y lo ha sido siempre aunque no lo había aceptado por no haber entendido bien el concepto, fue noticia; cuando Beyoncé, en su presentación en los VMA's 2014 cerró su presentación con un gran letrero que decía "FEMINIST", fue noticia; cuando Zooey Deschanel dijo que podía ser feminista y ponerse un collar de Peter Pan y a nadie tenía por qué importarle, fue noticia. Y todos estos astros rutilantes fueron noticia porque las feministas empezaron a ver que era un buen momento para salir del clóset. *Como si ser feminista fuera tan difícil como declararse abolicionista en el sur de Estados Unidos en el siglo XVIII, o pretender montarse en un avión en el JFK con burka el 12 de septiembre de 2001.* En todo caso, el estar haciendo que el feminismo despierte de su letargo debe ser bienvenido y festejado. *Porque el feminismo no estaba muerto sino que andaba de parranda.*

Esos sí, creemos que todas las anteriores pueden ser manifestaciones vacías si no vienen acompañadas de algo más. ¿De qué sirve que Taylor Swift grite a los cuatro vientos su nueva posición si prefiere no emitir opiniones sobre el aborto o sobre los derechos de las parejas del mismo sexo? De poco, realmente.

» THE NEW COOL (OTRA MANIFESTACIÓN DEL "EFECTO MANIMAL"[134])

- En medio de la ignorancia, en este país ser feminista es tan retro como ir a quemar brasieres a la plaza de Bolívar con un megáfono amplificando las canciones de Mercedes Sosa. Pero no. En otras partes del mundo es tan *cool* ser feminista como comprar ropa *vintage* en tiendas *vintage*.
- El feminismo es *vintage*, es tan actual y *hipster* como las gafas de pasta y esos muebles con pintura desgastada que los *hipsters* llaman *washed*. Y ya es hora de que lo entendamos en la país del sagrado corazón. Coscorrón para el próximo que diga que la palabra "feminismo" es fea, impopular o que debe ser reemplazada por otra más *cool*.

VOLVER A LO BÁSICO

Convertimos a la liberación en un mutante y es hora de retomar en rumbo. Comencemos por los roles, en palabras de Abraham Maslow:

> "Otra característica que he encontrado en el amor que siente la gente sana es que no hacen mayor diferenciación entre los roles y las personalidades de los dos sexos. Es decir, ellos no asumen que la mujer es pasiva y el hombre activo, tanto en el sexo, como en el amor y todo lo demás. Estas personas están tan seguras de su masculinidad y feminidad, que no les importa asumir ciertos aspectos relacionados con los roles del sexo opuesto"[135].

» LAS RELACIONES NO SON UN JUEGO DE PODER

De pronto seamos muy ilusas y vayamos en contra de la naturaleza de los humanos que se comportan, algunos como leones y otros como ovejas. Como animalitos. Sabemos que en este punto al menos un lector está blanqueando los ojos y poniéndonos rótulos incómodos,

---

134   Ver más sobre el "Efecto Manimal" en la parte 3 de este libro.

135   Maslow, A.H. *Motivation and personality* (New York, 1954). En The female eunuch, Kindle. pos. 2139.

todos relacionados con estar atrapadas en una historia que ya no existe. "Pero ¿cuál poder, cuál dominación? Ya pueden votar, ya pueden trabajar, son ellas las que mandan en las casas, qué más quieren de por dios, ¿qué más quieren?".

Pues no.

Aunque "el poder no se tiene, se ejerce y en cualquier relación social (madre/hijo, novios, jefe/empleado, o la que sea) siempre hay una disputa, nunca hay sometimiento total, pues el poder está en disputa"[136], nos oponemos a que un matrimonio y cualquier relación romántica sea sobre poder: quién quiere más, quién da más, quién desea más al otro, quién controla al otro a través del sexo, cuál suegra es más mamona, etc. ¡Popó de toro! Lo que condenó nuestra relación con los hombres fue que ellos basaron su poder en el dinero y en la provisión de cosas materiales; por lo que se desubicaron montones cuando las mujeres también pudieron conseguirlo. Y las mujeres se sintieron como Rapunzel, rescatadas no por su príncipe encantado, sino por el capitalismo y el mercado laboral, y *¡quién dijo dicha y sublevación, compañeras!*

Entonces los hombres se sintieron más perdidos e inútiles que bibliotecario en la Plaza de Toros.

¿Pero qué pasa entonces si vemos a las relaciones como equipos más que como organigramas? Cualquiera nos dirá que los equipos también tienen organigramas, vean no más a Pékerman. Pero, entonces, pensemos en cooperativas controladas por los trabajadores en las que cada decisión debe ser consultada y acordada. Esto promueve la ineficiencia, nos dirá un "yupi". Y pues nuestra respuesta sería que una cooperativa premia la justicia y desincentiva la competencia al interior. Y eso es lo que necesitamos en una relación: un equipo en el que ambos den y nadie lleve la cuenta.

¡Abajo el poder opresor de los calzones arriba y la billetera gorda, compañeros! Necesitamos, como en la Revolución Francesa, igualdad, fraternidad y libertad.

---

136 Gracias al sociólogo Carlos Laverde por ayudarnos a entender este tema.

» OTRAS IDEAS SOBRE VOLVER A LO BÁSICO EN LAS RELACIONES

- Luego de más de quince años en el mercado aprendimos que las expectativas cambian; que nuestra ideología e ideas no son aviones cayendo pues sí tienen reversa o pueden girar; que los errores enseñan; que Adam Sandler es mejor que Jude Law[137] y que el sexo está sobrevalorado.

- Que escogemos mal porque estamos llenas de ideas y taras que nos hacen cometer errores. Desafortunadamente el amor no es como comprar zapatos, que una vez que uno tiene diecisiete años y el pie no le creció más, tendrá la misma talla y le servirá la misma horma de por vida. *Aunque algunas dicen que el pie crece después de los embarazos y en la menopausia. Sea como sea, el zapato no va a variar mucho.* Las expectativas cambian, aprendemos de los errores, modificamos intereses y la idea es que lo hagamos para mejorar.

- No somos lo que comemos, pero sí cómo comemos. Si ponemos cachos no somos intrépidos, somos desleales; si prometemos cosas que no cumplimos sólo por echarnos en el buche a alguien, somos unos y unas truhanes desleales; cuando alguien nos invita a comer estamos en nuestro derecho de decir que no, pero una vez aceptamos, hay normas de etiqueta. Y así.

- Encontremos un punto medio entre la Mujer Maravilla y Penélope Pitstop.

- El amor sí existe y lo cursi es chévere cuando se comparte.

- Darlo por doquier no me convierte en una guaricha, pero tampoco me conseguirá amor.

- Solo nosotras sabemos cuándo estamos listas para tirar con alguien, "para casarnos", para dejar una relación. Hay que volver a un mundo en el que *Cosmo* no dicte mandamientos con sus listas de tonterías.

---

137 "Adam Sandler 1- Jude Law 0". *Susana y Elvira.* 2009. Web en www.susanayelvira.com

3. DAR UN PASO ADELANTE

Sí. Lo entendimos todo mal. Ya sabemos que la liberación femenina no se trata de convertirnos en mujeres-machos y de echarnos encima la carga del mundo porque "podemos"; que nuestra relación con los hombres no es de competencia sino de complemento, y que no somos enemigos sino co-equiperos; que no odiamos a los hombres ni queremos la extinción o el exilio del género masculino para que nosotras nos tomemos el poder; que las mujeres podemos cambiar una llanta e invitar a comer a nuestro galán y no se nos va a gangrenar una mano; que los hombres pueden hacer una sopa y criar a los hijos y no se les va a esfumar la testosterona.

Es hora de que miremos hacia adelante, entendamos nuestro lugar en el mundo y caminemos de la mano hacia el futuro, para que las generaciones venideras no tengan que seguirle pedaleando al tema de la igualdad, como lo han hecho nuestros papás y como lo estamos haciendo nosotros.

Además, ¿todavía tenemos que ser rotuladas como una minoría para hacer valer nuestros derechos? ¿Es que somos navajos? ¿Cómo vamos a ser minoría si hay más mujeres que hombres en Colombia?[138] Claro, porque estamos menos representadas y todos esos asuntos semánticos que se inventan los que diseñan políticas públicas, ¿pero en serio?

LOS ROLES APESTAN

Aristóteles escribió en *La Política* que la dominación de los hombres sobre las mujeres era natural, igual que aquella del dueño hacia el esclavo, del padre hacia el hijo[139]. En contraste, Platón redujo el tema a una construcción cultural, social y política[140]. Nosotras decimos entonces que, como toda construcción, la dominación es artificial y puede derrumbarse cuando deje de servir o algo mejor se erija. Este es el momento.

Los roles y las generalizaciones son uno de nuestros peores legados como seres humanos, *después del racismo, la homofobia, el fundamentalismo religioso y todos esos flagelos de la historia sobre los que la gente inteligente ha escrito y se ha manifestado.* Pero a diferencia de los ismos y fobias anteriores, poco se habla de los roles y de cómo nos siguen pervirtiendo como sociedad. A nadie parece importarle que los hombres deban ser machos fuertes y proveedores, o que las mujeres debamos ser encantadoras y femeninas. Y ya. Porque no hay modelos que los hombres o mujeres debamos seguir como intrínsecos a nuestro género: no hay tal cosa como la mujer ideal o el hombre ideal.

---

138   Según las proyecciones demográficas del DANE, en 2014 hay 24'130.11 mujeres en Colombia, contra 23'531.670 hombres. ¿Entonces somos minoría?

139   Farrell Smith, Janet, "Plato, Irony and equality", en *Hypatia Reborn: Essays in Feminist Phylosophy*. Estados Unidos: Indiana University Press, 1990, p. 35.

140   Ibid.

No hay tal cosa como la mujer feminista o el hombre machista, todos somos individuos, aunque debamos comportarnos como comunidad. Lo paradójico es que en la casa esperamos ser un rebaño pastoreado por un tercero que no vemos, y en la calle unos ermitaños que pasamos por encima de nuestros congéneres e ignoramos los derechos de los demás. Individuos que no desaprovechamos papaya. Todo muy decente.

Sabemos que nos enfrentamos a un mundo en el que los roles son mucho más maleables que antes. Agradecemos entonces al feminismo por lograr cambios estructurales como la redistribución del poder en las familias, el reconocimiento del trabajo de tanto mujeres como de hombres en el hogar, y el cambio en la manera de elegir cómo se cría a los hijos. En los setenta se sentaron las bases para una lucha que se materializó en los ochenta, y aún continúa viva en muchas partes del mundo: "Aprendimos que las mujeres pueden y deben hacer *trabajos de hombres*, y ganamos el principio (aunque no el hecho) de lograr un pago equitativo. Pero aún no hemos establecido el principio (mucho menos el hecho) que los hombres pueden y deben hacer *trabajos de mujeres*: las tareas del hogar y la crianza de los hijos también son la responsabilidad de los hombres, y que esos trabajos en los que las mujeres son concentradas por fuera del hogar, probablemente serían mejor pagos si más hombres se convirtieran en secretarios, archivadores y enfermeros"[141].

Steinem acertó a decir en 1983 que "las políticas verdaderamente exitosas son probablemente definibles simplemente como 'cultura'"[142]. Y acá seguimos, veinte años más tarde, esperando que algún día las barreras de los roles se borren definitivamente y que el feminismo deje de verse como una lucha política, sino que simplemente esté inserto en nuestra cultura como una manera de entender el mundo y de relacionarnos los unos con los otros. Merecemos vivir en un mundo en el que veamos mujeres en los talleres de carros —o donde a cada una se le antoje—, no como secretarias, recepcionistas o como "la de los tintos", sino engrasadas a la par con sus compañeros hom-

---

141 "The way we were, and will be". Gloria Steinem en *Feminism in our time*, Miriam Schneir. 1994.

142 Ibid.

bres arreglando la *chamucera del borne del carro*. Y que de paso, podamos dejar de pedirle el favor a los hombres de nuestras vidas que nos
lleven el carro al taller para que no nos tumben por ser mujeres, *ergo*,
"ignorantes en cualquier cosa que involucre un tornillo, un conjunto
de filtros y una llanta)". Y también merecemos vivir en uno en el que
veamos hombres con cofias y delantales empujando carritos por los
pasillos de los hoteles para tender las camas y arreglar los baños. Ah,
y chévere también encontrarnos de vez en cuando hombres manicuristas. Nosotras todavía no hemos conocido el primero. *Y qué tal si nos
inventamos un mito bien absurdo de que los manicuristas hombres son regios y
nos dejan las uñas divinas, como el mito de que es mejor que un hombre le corte
el pelo a una mujer, porque una mujer que le corta el pelo a otra mujer (y peor
si tiene la regla), le va a chamuscar el pelo.*

Estamos llenos de estereotipos, aunque el sentido común nos diga
que, como su definición lo indica, no hay nada más equivocado que
un estereotipo:

> Un estereotipo es la percepción exagerada y con pocos detalles,
> simplificada, que se tiene sobre una persona o grupo de personas[143].

Y si lo dice Wikipedia...

Entonces, creemos que los hombres son más sexuales que las mujeres, aunque *newsflash* nos masturbemos y nos guste tirar como a los
hombres. Para nosotras es tan importante un orgasmo como para
ellos. Y debe ser igual de prioritario. *¿Pero no ven como es de machista
el sexo, que la erección del varón se acaba cuando se viene? ¿Y nosotras qué?*

¿Y quién dijo que una mujer compra? ¿y que sueña con comprar?
¿y que se gasta la tercera parte de su sueldo en ropa y cremas? *Cosmo*,
seguramente. Pero es falso. Es otro estereotipo que desembocó en un
rol. Las mujeres no nos chiflamos cuando vemos una tarjeta de cré-
dito. Entonces nosotras, que odiamos los centros comerciales y comprar pantalones y brasieres, ¿somos menos mujeres?

¡Abajo los roles opresores, compañeras!

---

143   Wikipedia es.wikipedia.org/wiki/Estereotipo.

...a al feminismo

NO SOMOS IGUALES

Somos iguales ante la ley. Todos tenemos los mismos derechos a elegir, decidir, hacer, no hacer. Nuestro género no debe determinar más que a qué baño entramos, cómo hacemos chichí, o la altura de los tacones que usamos. *O, ni siquiera. Si quisieran torturarse, los hombres bien podrían usar los stilettos puntudos de Sarah Jessica Parker y a nadie tendría por qué importarle —igual ya existe una corriente de hombres que usan y bailan en tacones, como en los videos de Madonna de los noventa—. O podrían orinar sentados, porque hemos conocido a algunos que lo hacen para no ensuciar el inodoro, y eso, les juramos, no los hace menos hombres. Requetejurado, porque nos consta.*

Nuestras diferencias no están marcadas por nuestro género, pero sí porque somos individuos con historias y preferencias distintas. Suponer que nosotras, Susana y Elvira, somos iguales porque las dos somos mujeres en sus treinta, que nacimos en la misma ciudad y recibimos una educación similar, es un error que borraría nuestras diferencias y aquello que nos hace únicas como individuos.

Somos biológicamente diferentes. A los hombres les sale pelo en la cara, a nosotras nos llega la regla; los hombres producen espermatozoides, nosotras óvulos; los hombres tienen manzana de Adán y nosotras trompas de falopio. ¿Los hombres tienen tetillas y las mujeres pezones? *Gracias a Antonio Sanint entendimos, por ejemplo, que no hay terminaciones nerviosas en las tetillas de los hombres, así que no debemos desgastarnos tratando de hacerlos ver las estrellas que ellos logran en nosotras "allí".* Pero, ¿las mujeres vemos más colores y usamos más palabras que los hombres? ¿Las mujeres somos *multitasking* y los hombres sólo pueden concentrarse en una sola cosa a la vez? ¿Los hombres piensan primero y después hablan, y lo contrario hacen las mujeres? Creemos, como Pierre Bourdieu, que parte de derribar ese discurso que promueve la diferencia es la resistencia a "todas las visiones esencialistas de la diferencia entre sexos"[144]. Así que no más determinismos biológicos. No nos dejemos echar el cuento de los tontazos tipo presidente de Harvard, que en 2005 dijo que las mujeres apestamos en las matemáticas[145], o de cualquiera que dice que estamos mejor equipadas para el hogar.

Sí, somos biológicamente diferentes, y también culturalmente en muchos aspectos —pero no más que el vecino tunjano o la abuela costeña—. Pero no se trata de arrancarnos los sesos tratando de encontrar qué es lo que nos diferencia además de un sistema reproductivo y algunos rasgos evolutivos. La diferencia está en la individualidad. Porque más allá de ser hombres o mujeres, somos individuos. No podemos limitarnos a tratar de diferenciarnos como *hombres* o *mujeres*, ni de abogar por una igualdad entre *hombres* y *mujeres*, pues estaríamos dejando por fuera a los que traspasan los límites y las definiciones de los roles y los géneros, biológica y culturalmente hablando. ¿Dónde quedarían entonces los transexuales, los transgénero, los eunucos? ¿Buck Angel? ¿En dónde pueden pararse en toda esta discusión? ¿Si no caben dentro de la definición de "mujer" o de "hombre", los sacamos del discurso, y de paso, de la humanidad?

Pero la transgresión de los géneros es todo un rollo aparte en el que no pensamos ahondar. Este tema se lo dejamos a los expertos y activistas que están encausando una nueva y valiente batalla. A nosotras

---

144   Bourdieu, Pierre. *La dominación masculina*. Barcelona, 1998. Print.

145   "El presidente de Harvard afirma que las mujeres tienen menor capacidad para las ciencias y las matemáticas". 2005. *Periódico El Mundo*. Web en www.elmundo.es/elmundo

nos sirve simplemente para establecer el punto de la importancia de centrarnos en la individualidad más allá de los géneros.

EL HOMBRE FEMINISTA

Es lo opuesto al neandertal y en esta parte del mundo son tan escasos que cuando se encuentran hay que aferrarse a ellos como a tortuga carey. La diferencia es que no están en vía de extinción, al contrario, están en "vía de *surgimiento*", porque antes eran escasos y ahora, cada vez más, salen de sus cascarones como pollos lampiños y desubicados que no saben cómo es la vuelta, solo sienten que está bien.

Lo que significa (el feminismo) para mí es que tú no permites que el género defina quién eres —uno puede ser quien quiere ser, sin importar si eres hombre, mujer, niño, niña, o lo que sea. Como quieras definirte a ti mismo, puedes y debes ser capaz de hacerlo, y ninguna categoría realmente describe una persona porque cada persona es única. – Joseph Gordon-Levitt.

Un hombre puede ser sensible, querer ser fiel, casarse. Y puede ser feminista, como Joseph y otros tantos que han entendido que el feminismo es *cool*, que nos hace evolucionar como especies y que, *ergo*, nos aleja de los neandertales. Así que señoras y señores, por favor dejen de estar flipando con cada neandertal que arma peleas en bares de vallenatos y entiendan que un hombre que defiende la igualdad entre géneros y encuentra la belleza de un atardecer no es un "maricotas" sino que es, posiblemente, un buen partido.

Nosotras conocemos a un par y damos fe de que están unos pasos más adelante en la escala evolutiva. No se sienten amenazados por el éxito de una mujer sino que lo ven como una oportunidad; entienden que el mundo no es azul y rosado, y que no hay roles entregados por un ser superior y dictatorial; les da lo mismo lavar un baño que cambiar la llanta de un carro, porque entienden que no hay destrezas atadas a los géneros; y, sobre todo, andan libremente por el mundo porque ya se quitaron la máscara pesada que se les había impuesto.

Los hombres feministas también saben que en el feminismo juega a su favor, porque:

1. Como ya lo dijimos, el feminismo que proponemos (uno en el que las etiquetas y roles marcados por géneros no existen) les permitirá liberarse de máscaras y bobadas. Deli no andar por el mundo como un pavo real, sino como un labrador feliz y torpe al que nadie le pide que triture huesos con su mandíbula.

2. Dado que las feministas no creen en estereotipos, nunca, pero nunca, van a decirle a un hombre "sé un hombre y tumba ese enjambre de avispas con un palo de escoba, amorcito".

3. Una mujer empoderada se convierte en coequipera. Y la vida es mejor en equipo.

4. Una feminista sabe que el hombre no siempre va a pagar la cuenta, pero a veces lo dejará hacerlo como un guiño cómplice, pues se entiende que las partes son solidarias y generosas.

5. Las feministas son grandes polvos porque saben que el sexo está sobrevalorado; que los hombres no viven con una erección perpetua, porque también les puede "doler la cabeza"; y aceptan su cuerpo como es, así que nunca pedirán que apaguen la luz. Además aceptan, sin pena ni reparo, que les gusta el sexo tanto como a los hombres. Y como saben que el sexo no las hace unas perras, estarán dispuestas a ensayar posiciones, menjurjes y cuanta cosa se les pase por la cabeza, porque no hay apariencias que guardar. Porque las feministas saben que no hay nada pecaminoso en el sexo.

6. Una mujer feminista no utilizará el arma del escote o el cruce de piernas de Sharon Stone para ganarle el puesto a ningún hombre.

7. Una feminista no asumirá que "salir con los amigos" es sinónimo de "fiesta con los amigos donde las putas", ni rasca infernal, ni —necesariamente— fútbol cervecero. Con ellas no hay suposiciones marcadas por los géneros.

8. Una feminista vive un mundo sin etiquetas y prejuicios, donde los gay no valen por ser gay, donde las mujeres no son más por ser mujeres, y donde los hombres son iguales, ni más ni menos, sino iguales.

9. Una feminista sabe que el amor no es lo mismo que drama, así que no montará escenas de celos porque sí, ni esperará que una relación sea una realización de cualquier telenovela que vio de chiquita.

10. Una feminista sabe lo que quiere, así que con ella un hombre siempre tendrá claro si busca amor o solo sexo. Nada de mensajes tibios cruzados con malos entendidos e incomprensiones. Y ella sabe que si el hombre no le va a dar lo que espera, puede retirarse con un "que gracias, pero no". Y ya.

11. Una feminista no se tragó el cuento de que a todas las mujeres les gusta comprar. Y entiende que no hay nada más tedioso que ir a probarse *jeans*, por lo que regularmente no esperará que su macho vaya con ella. Aunque casos se han visto.

EL LENGUAJE

Somos unos hipócritas. Nos rasgamos las vestiduras porque el lenguaje es machista y nos inventamos lenguajes inclusivos pero seguimos etiquetando a las mujeres como putas o fáciles, criticando a las mujeres con sobrepeso, echando piropos asquerosos en las calles, eligiendo reinas de belleza, y creyendo que a la compañera de trabajo la ascendieron fue porque se lo dio al jefe, no porque es buena en lo que hace. Hay que ser coherentes y saber escoger las batallas *señor@s, niñ@s, dam@s, caballer@s, etc.* (entendieron el punto).

En vez de enredarnos la vida creando lenguajes y expresiones incluyentes que conviertan en un tedio la lectura de enunciados como (léalo si quiere con entonación de Julio César Turbay) *"los hombres y las mujeres tenemos la responsabilidad de criar niños y niñas que estén en igualdad de condiciones para aspirar a cargos de presidentes o presidentas al tener igual acceso a la información y educación en su condición de estudiantes y estudiantas"*, deberíamos concentrarnos en erradicar la violencia en el lenguaje: "loca", "regluda", "está hormonal", "mi novio es la vieja de la relación", "esa loca tiene cojones", etc. Lo que las feministas antes le llamaban "opresión del lenguaje", nosotras lo llamamos "violencia y ligereza en el lenguaje". Ésta no se soluciona yendo en contra de la economía del lenguaje, sino cambiando el discurso y dejando de contar chistes babosos y asquerosos tipo:

—¿Por qué a las mujeres les llega la menstruación?

—Porque la ignorancia se paga con sangre.

—¿Sabías que el cerebro de la mujer esta conectado al culo?

—Porque cada vez que piensan la cagan.

También visibilizando estereotipos dañinos y expectativas anacrónicas, como lo hizo la campaña del "Autocomplete de Google", de UN Woman[146], que usó la herramienta del buscador para mostrar algunas ideas sobre las mujeres. Por ejemplo, "las mujeres deberían ser esclavas", "las mujeres deberían quedarse en la casa", y "estar en la cocina". Hagan el ejercicio a ver qué resultados les aparecen.

Nosotras podemos decidir sobre el lenguaje que empleamos y los mensajes que enviamos. Y podemos exigir coherencia en los demás. Porque ser políticamente correctos no nos hace aburridos. Y porque el lenguaje, aunque no sea un puño, también puede ser violento.

🔍 Las mujeres debe

Búsqueda en Google

🔍 Las mujeres deber**ían**
🔍 Las mujeres debe**n tener marido y amante**
🔍 Las mujeres debe**n depilarse el vello púbico**
🔍 Las mujeres debe**rian ser esclavas**
🔍 Las mujeres debe**n ser sumisas**

LA EDUCACIÓN SEXUAL

A mí, Elvira, desde muy pequeña me dieron clases de educación sexual. En primaria, aprendí que los niños llegaban al mundo porque un espermatozoide fecundaba un óvulo y no porque una cigüeña salía desde París a repartir niños por el mundo. En bachillerato, los videos fueron reemplazados por las charlas de una mujer que nos enseñaba cómo comportarnos responsablemente respecto al sexo, siempre poniendo de ejemplo a su hija adolescente. Pobre. Recuerdo que en una de esas charlas nos contó cómo su hija había ido a un Prom con la regla, y como no quería cargar toallas higiénicas en su cartera, encon-

VIDEO

---

146   YouTube https://www.youtube.com/watch?v=IkNlGuW-Og8

tró una manera efectiva de contrarrestar la potencial vergüenza de que su consorte se encontrara con una bolsita rosada y supiera que tenía la regla: poniéndose un arrume de toallas. Nunca me pareció un buen ejemplo, nada práctico ni mucho menos higiénico. Pero bueno, a pesar de las anécdotas poco funcionales, por lo menos nos enseñó que debíamos conocer nuestro cuerpo y sus tiempos, en términos reproductivos, que descubrir el placer a través del sexo era importante, y nos enseñó cómo se ponía un condón, porque ese no tenía por qué ser un conocimiento exclusivo de los hombres.

Años más tarde, recordando a esta mujer con un amigo que tenía una hija adolescente, me contó que en el colegio de su hija no les daban educación sexual. No podía creer que en el siglo XXI hubiese colegios en los que un adolescente nunca hubiera recibido una clase de educación sexual, por lo que la responsabilidad del conocimiento acerca del tema la tuvieran los padres e Internet. Poco conveniente.

Todos debemos ser educados responsablemente en términos de nuestra sexualidad, es nuestro derecho. Saber desde pequeños que la única finalidad de la sexualidad no es la reproducción humana y que tenemos a nuestra disposición una cantidad de métodos anticonceptivos que nos permiten abrir las puertas del placer y del goce y de controlar nuestro cuerpo. Que el sexo también es una forma de comunicación que se manifiesta a través de nuestra sexualidad y erotismo y por eso debemos descubrirlos; que debemos conocer los riesgos a los que nos podemos exponer y que somos dueños de nuestros cuerpos y por eso debemos ser responsables; y que existen los derechos reproductivos que protegen la libertad y autonomía que tenemos todos de decidir tener o no hijos, cuántos, cómo y con quién. Y que estos derechos no están sujetos a un genero, ni a una clase social, ni a una raza, ni a un conjunto de creencias. Así como desde pequeños aprendemos a escribir, sumar, restar y las capitales del mundo, también debemos exigir una educación sexual en la que también se enseñe que la diferencia existe y es tan valiosa como la norma.

DEBEMOS PODER DECIDIR

Todavía necesitamos que, por ejemplo, ser mujer no sea noticia o un diferenciador, que llegue el momento en el que los géneros no importen y no creamos que una mujer general o en el equipo negociador del proceso de paz es una victoria para el género. También tiene que llegar el momento en el que no se decida sobre nosotras a través de argumentos moralistas; que no decidan sobre nuestra suerte congresistas anticuados y machistas; que entendamos que un escote no nos hace presa del acoso; que nadie use a nuestras hormonas como argumento para ganar una discusión; que nunca, pero nunca, permitamos que usen a nuestra regla y el "está regluda" como un insulto para desmeritar nuestros argumentos.

Por eso necesitamos al feminismo, para entender que ser mujeres no nos hace más o menos, nos hace simplemente iguales y nos da el derecho a decidir si abortamos, si nos tomamos la píldora del día después, si tenemos hijos, si no los tenemos, si nos queremos acostar con toda una selección de fútbol universitaria sin que nos pongan nombres, si queremos llegar vírgenes al matrimonio sin que eso merezca burlas, o si queremos lavar los platos o cambiar la llanta del carro. *Porque, por cierto, Susana prefiere llevar el carro a lavar que lavar un baño. ¿Eso la hace menos mujer? O Elvira odia colgar ropa, ¿eso la condena en el infierno?*

La religión nos ha quitado todo tipo de autonomía: "Dios quiere, es designio de Dios, no hagas esto, no porque sea malo para ti y tu comodidad, sino porque Dios te castiga". Somos un rebaño desempoderado que aún hoy sigue posando la responsabilidad de sus propios actos en los demás. E, incluso, en Dios. No robes porque Dios te castiga. Mañana vengo a trabajar, si Dios quiere. Mi hijo adolescente murió de una sobredosis de heroína porque era la voluntad de Dios. *¿Whaaaaat?*

En Arabia Saudita, donde religión y Estado son uno solo y prima una lectura radical del Islam, las mujeres no pueden dejar el país solas, sino que un acudiente responsable (léase "hombre": papá, esposo o incluso hijo) debe acompañarlas en el viaje y responsabilizarse por ellas. Tampoco pueden poseer bienes —del esposo pasan al hijo—, ni manejar, ni tomar decisiones financieras. Pueden estudiar solo ciertas carreras y siempre, pero siempre, estarán a la sombra de un hombre, porque no valen por ellas mismas. Nosotros criticamos y nos asombramos con este tipo de sistemas y agradecemos al altísimo no haber nacido allá. Pero pensémoslo bien. Esta idea prevaleciente sobre el Estado dictando leyes sobre nuestro cuerpo y nuestra vida privada no es igual en Colombia, pero se le parece. Igual las uniones del mismo sexo. ¿Qué tal un viejo misógino y homofóbico con una vida privada incongruente y arcaica, diciendo quién puede casarse y quién no? ¿No estamos yendo muy lejos en la regulación? En Venezuela, al momento de escribir estas líneas, el Estado fijaba cuánto jabón podía comprar cada persona. Y, de nuevo, nosotros nos asombrábamos y criticábamos la intervención del Estado. Muy coherente todo. Sabemos que una cosa es la intervención en la economía y otra en lo social. Pero preferiríamos que le pararan más bolas a los tratados de libre comercio, a la minería y a todas esas bellezas neoliberales, y no a lo que los colombianos hacemos dentro de nuestra casa y con nuestros órganos reproductivos.

No vamos a decir que sabemos qué es lo mejor para cada quien. No vamos a cometer el error del que se les acusa a las sufragistas en el siglo XIX cuando no entendían por qué las mujeres afroamericanas no consideraban suya la lucha para conseguir el voto (alguien tuvo que decirles que tal vez era porque tenían otras cosas más importantes en qué pensar, como la igualdad en todos sus derechos civiles *da-ha*). Cada quien establece su sistema de prioridades. Por eso aquí lo importante es ocuparnos de la causa global: nuestro derecho a tomar las decisiones por nosotras mismas, entender que no estamos condenadas a la violencia intrafamiliar, que los hombres entiendan que nos somos objetos de dominación, que no somos el chihuahua de Paris Hilton.

EL ABORTO

La gente puede fumar, y después cargarle su cáncer al sistema de salud, pero nosotras no podemos abortar, dizque porque rompemos leyes morales. Y por ende no podemos hacernos abortos seguros, ni elegir.

Ojo, señores maniqueos: el que podamos hacernos abortos no significa que todas vayamos en fila a abortar, o que dejemos de tener sexo seguro. Significa que podemos elegir, ser autónomas. Significa que ningún hombre, juez, cura o congresista puede decirnos qué podemos o no podemos hacer con nuestro cuerpo. Nada más.

Yo, Susana, no tengo una posición definitiva sobre el aborto. Hoy, seguro, no abortaría a no ser que enfrentara uno de los tres casos, *si el Estado me lo permitiera claro, de lo contrario tendría que ir a una clínica de mala muerte y rezarle al Dios del procurador para no agarrar una infección. En fin.* Pero estoy segura que a los dieciséis lo hubiera pensado y tal vez habría sabido qué hacer. Y es por ello precisamente que defiendo el derecho a elegir, porque nadie debe imponer ideas generalizantes sobre nadie, porque cada quien debe ser lo suficientemente libre como para decidir qué hacer con su vientre y su futuro.

Creímos que con la píldora y las victorias legales en los cincuenta y sesenta vendrían los demás cambios sociales, espontáneamente y sin mayor esfuerzo. Pero el cambio ocurrido ha sido disparejo: hay derecho al voto, pero el Congreso sigue siendo una institución mayoritariamente masculina; somos iguales ante la ley, pero un fiscal puede decir fácilmente que si nos violaron fue por nuestra culpa; los hombres siguen legislando sobre nuestro derecho a abortar, y a veces es mejor porque resulta que en nuestro estado de transición algunas de las mujeres que legislan son más conservadoras que el mismísimo señor Galat. Y, para terminar, homofóbicos deciden si las parejas del mismo sexo se pueden casar y tener derechos de seres humanos. La democracia, como lo dijo Churchill, es la peor forma de gobierno, excepto por todas las demás que se han ensayado. Pero es lo que hay.

EL CUERPO

Las tetas no son para el consumo masculino, son nuestras y hacemos con ellas lo que queremos. Las tetas no fueron creadas por un dios morboso para el placer de los hombres. Sirven para alimentar a nuestras crías y para ponernos brasieres. Si las vamos a mostrar en público, adelante, pero ojo: las tetas por sí solas no consiguen que un hombre nos quiera o nos admire, ni consiguen trabajos, ni deciden batallas. Es que a las pobres les hemos dado más poder del que pueden resistir.

También, si queremos, nos ponemos implantes, si eso nos va a hacer sentir mejor; o nos las podemos reducir si lo consideramos conveniente. Pero nunca perdamos de vista que la cirugía plástica, como todo en este mundo capitalista, es una industria. Obviamente los médicos y todos los que se lucran de ella nos van a decir que somos feas y que tenemos un montón de partes del cuerpo que necesitan ser recortadas/chupadas/levantadas para ser menos abominables a la vista. Ese es su trabajo, es lo que paga sus cuentas. Como el mecánico que le descubre mil daños al carro. Pero no hay tal.

Si creemos en que una nariz menos aguileña o chata nos va a hacer sentir mejor con nosotras mismas, adelante. Pero aquí vienen, de nuevo, las preguntas que a este punto del libro deben ser detestables: ¿hacernos sentir mejor según quién? ¿Me quiero cambiar la nariz para parecerme a Kim Kardashian? ¿Estoy convencida de "la fealdad de mi nariz luego de que un hombre me lo dijera"? La belleza/fealdad es subjetiva compañeros.

Y la gordura también. O no, porque los médicos saben muy bien cuándo unos kilos de más dejan de ser saludables, y con eso debe bastarnos. La gordura es un tema de salud, no de estética. Y, como la gordura no es un tema estético, nos oponemos a las liposucciones. Las liposucciones son lobas. Es que si la gordura es un tema de salud, debe atacarse con ejercicio y comida saludable, no con una chupa de grasa que puede matarme y que va en contra de la naturaleza *hipster* que nos ocupa últimamente. Como un tema de salud, debe ser tratado con un médico y no con un esteticista que lo saluda a uno de beso.

Nadie debería ser matoneado por cuenta de su peso. Y nadie debería dejar de mostrar su cuerpo o de ponerse un bikini, o dejar de sentirse digno de todas las miradas y admiración por cuenta de su peso. Compramos totalmente el discurso de la belleza va por dentro, porque así lo es. O si no vean a las reinitas de cuarenta kilos que sobreviven a punta de apio para ver si no son unas arpías de malgenio eterno por llevar décadas con hambre.

CANCIÓN DEL ORGULLO CORPORAL

Cuando era chiquita mi mamá me decía
Paquita cómete la manzanita
Pero sánduches y dulces eran mi dicha
y yo era una gordita.

En la edad calavera me puse en cuarentena
kilos y kilos se fueron por la cisterna
yo solo quería ser esbelta.

Coro: El amor viene y va
como los kilos de más
lo único que se queda
es la seguridad.

Hoy estoy colérica
lamento los años que perdí por la estética
el peso pluma y la anorexia
son inventos de una maquiavélica.

Pan y tomate son mi salvación
porque hay que comer con moderación
para no ser víctima del colesterol.

Bikinis y shorts son mi obsesión
porque los uso sin pudor.
La moda es una ilusión
que no puede ser un dictador.

Coro: El amor viene y va
como los kilos de más
lo único que se queda
es la seguridad.

Hombres altos y bajos son mi debilidad
porque rotular no puedo más
para que no me atajen prejuicios
que no voy a aguantar.

Coro x 2: El amor viene y va
como los kilos de más

lo único que se queda
es la seguridad.
Lalalalalala oh oh.

EL SEXO

Repitan con nosotras:

Podemos hacer lo que se no venga en gana con nuestro cuerpo · El sexo es chévere · Podemos disfrutar el sexo · El sexo no es pecaminoso, el sexo no nos condena · No se trata de comer o ser comido; aunque es mejor ser quien come · Un neandertal no me merece · Gracias *Monsieur Condon.*

EL MATRIMONIO

Hicimos un sondeo entre los usuarios de www.susanayelvira.com y les preguntamos si habían soñado con el día de su boda. Recibimos mil quinientas sesenta y cinco respuestas de hombres y mujeres y los resultados fueron:

34% Nunca.
30.2% Sí. Toda la vida.
18.4% Sí. Pero sólo desde que mis amigas se empezaron
a casar.
17.4% Sí. Pero sólo desde que conocí a mi actual novio
o esposo.

Es ofensivo asumir, sin mayor interés de ir más allá de la generalización o el estereotipo, que en una relación es la mujer la que esta loca por casarse y el hombre está posponiendo el yugo con cada artimañana. Primero, no todas las mujeres se quieren casar —como lo demuestra nuestra encuesta—, segundo, hay hombres que se quieren casar, y tercero, el matrimonio no es un yugo.

A nadie tienen por qué decirle que lo dejó el tren porque a los veinticinco o a los treinta o a los cuarenta y cuatro no se ha casado. Es un estigma incómodo, injusto e innecesario, porque en la vida hay cosas que pesan mucho más que lograr convertirse en la esposa de alguien. *Qué vaina, pobre Susanita, tan solita en el mundo. Pobre Elvirita, que le haga compañía a Susanita porque ya están muy viejas para que alguien les vaya a proponer matrimonio. Qué pecado, será esperar el último matrimonio de la familia que será el de Gabrielita que ya está que se gradúa de la universidad.* Conocer el mundo, crear proyectos, lograr una independencia, aportar algo a este mundo, nos hace personas de valor que le aportamos al mundo más que CO_2 que está acabando con la capa de ozono. *Mejor si somos vegetarianas, porque ya saben lo que pasa con los pedos de las vacas.*

Casarnos no nos hace mujeres completas, ni mujeres "realizadas". Y no casarnos tampoco nos hace mujeres liberadas, ni liberales, ni feministas.

Ser "de" alguien no define nuestro tránsito por el mundo. Pero ser "de" alguien tampoco está mal. *Con el "de" o sin el "de", aunque creemos que debería primar el derecho de nacimiento, porque qué fue primero, ¿el huevo o la gallina? En este caso, creemos que fue la gallina.* Porque ya lo hemos dicho, es más fácil y más rico pasar por el mundo con un co-equipero. Si tenemos la fortuna de encontrar a uno o a varios con quienes podamos ir de la mano por el mundo sin un anillo de por medio, fabuloso. Y si decidimos casarnos con uno o con varios, fabuloso también.

Eso sí, entendamos que el matrimonio es un negocio que se cierra con un contrato, el cual tiene un cuerpo sustantivo que identifica a las partes, una exposición de los hechos y antecedentes, un cuerpo normativo en el que se establecen los pactos del contrato, y un cierre en el que se indica la forma en que se realizará el acuerdo. Y como todo contrato, se fijan unas cláusulas en caso tal que las partes decidan terminarlo.

Si decidimos pasar la vida junto a alguien podemos hacer de dos maneras: trasteamos nuestras maletas al apartamento del uno o del otro y empezamos a convivir; o nos casamos por el rito que mejor se ajuste a lo que creemos, católico, judío, islámico, pachamámico o por el rito de Joey Tribbiani. Sea cual sea la manera como decidamos unirnos a alguien, nosotras creemos que los ritos y sus simbolismos son importantes. Por algo existen.

Darle un lugar que se merece al matrimonio no nos hace unas godas. Dárselo o no depende de entender que en eso también tenemos un poder de decisión y es una decisión que no debe tomarse a la ligera, ni mucho menos, suplir una presión social. El matrimonio no debe ser un chulo más en nuestra lista de lo que "debemos hacer". No es chuliarlo para salir de eso para no ir por el mundo con un letrero en la frente que dice "me salvé de quedarme de solterona porque ya me casé, fiuuu", así el matrimonio nos haya durado lo mismo que a Britney con Jason Alexander.

Creemos que en el mundo ideal la gente en sus veintes debería estar vetada de tomar decisiones tan trascendentales y definitorias en la vida como elegir una carrera que ejercerá por el resto de la vida, o unirse a una persona con la que estará —en teoría— por siempre. Es que en esta etapa estamos jugando a ser adultos, tratando de convertirnos y compórtanos como tales, pero aún no lo somos aunque el sistema diga lo contrario. Fin del hipervínculo.

Así, como tenemos el poder de tomar una decisión consciente de casarnos o no sin caer en la trampa del chulito y del tren que abandona la estación con o sin nosotros, es absolutamente ridículo que sea una institución exclusiva para los heterosexuales. Es que eso de que el fin último del matrimonio es la procreación, y por ende, el matrimonio homosexual es una unión estéril, es una idea tan oscurantista y retrógrada que debería estar en una de las hogueras de *Fahrenheit 451*. Todos tenemos el mismo derecho de meternos en negocios que puedan ser positivos y lucrativos a futuro, o un potencial desastre. El matrimonio no es un restaurante alabameño sólo para blancos en los años cuarenta.

Eso sí, la soledad está subvalorada. Punto.

LA FAMILIA

Traer hijos al mundo no es una obligación, ni nuestra misión como seres humanos, ni el fin último de un matrimonio. *Gracias, señores de Durex, Today, y marcas afines, que nos dejaron gozar de un sexo sano sin correr el riesgo de que cualquier polvo se convirtiera en un tiro fijo.*

Y así como el matrimonio no es un restaurante para blancos en Alabama en la década de los cuarenta, tampoco lo es la decisión y la opción de hacer una familia.

Los hijos no son el resultado de sus padres. Son el resultado de un montón de cosas, como un código genético, una historia familiar, una educación y una mezcla de circunstancias que va desde la ciudad donde se crían, los amigos que hacen, los libros que leen, el estrato en el que crecen, la televisión que ven, la dieta que siguen... en fin. Es que de un contador no va a salir necesariamente un contador, de una reina carnavalera y del rey Momo no va a salir con seguridad la próxima promesa del vallenato, y de un homosexual no va a salir un homosexual. Si siguiéramos esa lógica, ¿de dónde saldrían entonces los curas y las monjas? ¿De curas y monjas que rompieron sus votos de celibato? ¿Y acaso los homosexuales no han salido de padres heterosexuales?

En agosto de 2014 la Corte Constitucional Colombiana emitió un fallo "histórico": se dio vía libre al trámite de adopción de la hija biológica de Ana Elisa Leiderman por su pareja, Verónica Botero. Ante el fallo y en defensa de la institución tradicional de la familia, conformada por un hombre y una mujer, el monseñor José Daniel Falla dijo: "Siempre estamos pidiendo la salvaguardia de la familia como eje fundamental de la sociedad, y se trata de tener una sociedad cada vez más estable donde cada persona tenga la certeza de lo que está viendo y transmitiendo a las nuevas generaciones. Los valores y principios que se quieren transmitir son fundamentales para la sociedad".

¿A qué valores y principios se refiere? ¿Integridad, sentido de justicia, honestidad? ¿Es que acaso la inclinación sexual de una persona que se sale de la norma lo convierte en un discapacitado moral? ¿Es que acaso una pareja compuesta por dos mujeres o dos hombres no puede tener los mismos —o incluso mejores— fundamentos morales y éticos que una pareja heterosexual, que les impide criar una persona de bien? ¿Un padre que viola a su hija y maltrata a su esposa está transmitiendo los valores y principios fundamentales para la sociedad? ¿Acaso una pareja homosexual es como un par de lobos que si se encuentran a un niño en la selva, lo criarán como otra especie? Los valores y los principios no están circunscritos a una inclinación sexual. Si fuera así, las cárceles no estarían pobladas por padres y madres de familia heterosexuales cumpliendo condenas por pederastia, asesinato, corrupción, robo y otros crímenes que atentan contra "los valores y principios fundamentales para la sociedad".

Miren no más a Jack el Destripador, Charles Manson y afines que pudieron haber crecido bajo la institución tradicional de la familia: con un padre de género masculino y una madre de género femenino.

Todos, hombres, mujeres, blancos, negros, amerindios, asiáticos, cojos, bizcos, homosexuales, pelirrojos, calvos, ricos, cristianos, mormones, gerentes, ciclistas, transformistas... Todos tenemos el derecho de decidir si conformamos o no una familia, y estamos en condiciones de criarlos bajo los códigos éticos que dicta la sociedad a la que pertenecemos. Y si decidimos hacerlo, debemos saber que podremos asumir esa responsabilidad y haremos lo mejor que podamos para que los seres que traigamos al mundo hagan algo más que consumir oxígeno y producir basura.

El debate incluye a hijos biológicos e hijos adoptados para quienes, como lo dijo el defensor del pueblo Jorge Armando Otálora, es un acto de justicia garantizarles el derecho a una familia, a no ser separados de ella, a cultivar su dignidad y a mejorar sus condiciones de vida. *Y porque a estas alturas los "padres de la patria" prefieren que haya niños creciendo en orfanatos que al lado familias compuestas por parejas del mismo sexo. Así de estúpido como suena.*

Pero es hora de ir un poquito más allá. Bien por el fallo, bien por Colombia, bien porque ya finalmente el gobierno le está parando bolas a estas cosas. Pero, ¿después qué? No es cuestión de "ah, ya se dio el fallo, ya los gays pueden adoptar, ahora la tarea es del Instituto Colombiano de Bienestar Familiar y ¡listo! Colombia cambió, ¡qué dicha!" ¿Pero ahora qué? Sí, ya la comunidad LGBTI se ha encargado de salir del clóset, de luchar por sus derechos y el gobierno ha ido validándolos poco a poco, pero, ¿el resto de la población qué? ¿Qué va a pasar con los que les ha sido negada la entrada a lugares, o los han mirado como bichos raros, los que definen los cupos de los colegios, los que cuidan a los niños en los jardines... ¿todos ellos qué? ¿Ya se transformaron por un fallo? ¿Quién se va a encargar de enseñarles que todo vínculo y lazo es igual de válido y respetable? Porque el cambio no viene solo, alguien tendrá que sentarse y resolverle a la población los mil y un mitos que existen sobre las familias homoparentales, les tendrá que enseñar que así se llaman, "homoparentales", a aprender a identificar quién se llama cómo o cómo realmente se vive en una familia homoparental, cómo referirse respetuosamente a ellos y cómo hacer preguntas con naturalidad hasta el punto en que las dudas sean resueltas. ¿A quién le cae este guante?[147]

"HUMAN RIGHTS ARE WOMEN'S RIGHTS AND WOMEN'S RIGHTS ARE HUMAN RIGHTS ONCE AND FOR ALL"[148]

Aunque nos oponemos al uso de etiquetas en la vida diaria ("hola, te presento a mi amigo gay"), creemos que lo que se deja de mencionar deja de existir, como cuando en clase de periodismo básico nos preguntaban si un árbol que se caía en medio de la nada y nadie veía caer realmente se había caído. O los estudios que demuestran que cuando se dejó de hablar de racismo en Brasil el racismo no desapareció sino que aumentó. Creemos que el machismo y los derechos de las comunidades gay deben ser un tema de todos los días.

Para ser feminista no hay que participar en protestas u organizaciones comunitarias. No hay que quemar brasieres en la plaza pública o no usarlos como manifestación de la opresión; tampoco se trata de montarse en unos tacones de treinta y cinco centímetros todos los días e irse pedaleando a la oficina para demostrarle a los hombres que podemos más que ellos; ni de celebrar el "Día de la Mujer" con todos los babosos de la oficina llevándole rosas a las mujeres, porque además no hay nada que marque más la diferencia y la segregación que los *días de... Es que eso de celebrar el Día de la Raza, el Día de la Mujer, el Día de la Secretaria, y todos esos días absurdos, tiene que haber sido idea de alguien que odia a la humanidad. "Démosle a todos estos perdedores un día ahí cualquiera para que piensen que los tenemos en cuenta y así les damos contentillo para que no jodan. Para que los periodistas tengan tema para ingeniarse 'especiales' y para que los comerciantes tengan una razón más para inventarse promociones y tácticas de mercadeo para que vendan lo mismo por lo mismo y logren picos de ventas. Que les partan ponqué a las 5:45 de la tarde en las*

---

147   Gracias, Lina Mendoza.

148   Clinton, Hillary. Cuarta Conferencia Mundial sobre Mujeres. 1995. Traducción: "Los derechos humanos son los derechos de la mujer y los derechos de la mujer son los derechos humanos, de una vez por todas".

oficinas y que algún desocupado se invente tarjetas que digan que son súper importantes".

Señores, esto no es la *Guerra de los mundos*. Basta con que no le haga el juego al lenguaje sexista, que persiga la igualdad en su vida personal, familiar y laboral y que no le siga la corriente a las tendencias que atentan contra las libertades y la salud de las mujeres y de los hombres.

Es así de simple, y en realidad, no es más que sensatez y sentido común.

¡Que la fuerza los acompañe!

¿Y QUÉ PASÓ CON VITTO?

Pues ahora le dio por volverse feminista. Pese a las predicciones, Vitto logró derribar la barrera que lo dividía entre un neandertal y un hombre de esos que tanto apreciamos. Sí señores, Vitto se rehabilitó y ahora es feliz. Ya les dijo a sus amigotes que no iba a volver a jugar Copulabolos; dejó de usar su máscara y se le quitó la tortículis crónica; y le regaló las camisetas de talla de niños a Marquitos, su primo de doce años. Es que le cortaban la circulación. Además por fin fue capaz de tomar el curso de cocina con el que soñó desde que probó los canelones blanditos y secos de su mamá. Para completar este círculo de sabiduría, Vitto consiguió una novia que lo deja llorar con el final de *La bailarina en la oscuridad* —su película preferida a escondidas— y con la que tira con la luz prendida. También ha desarrollado nuevas técnicas para lavar el baño de la casa que comparte con nuestra heroína sin nombre. Ella, por cierto, es la que lleva el carro al mecánico y nunca la tumban. Así Vitto se libró del yugo de tener que ser un as en mecánica, pues nunca pudo diferenciar entre el tanque del agua del parabrisas y del agua que enfría el carro. Por fin pudo aceptar que la habilidad que ostenta en cepillado de baldosas la carece de mecánica. Y sabe que eso no lo hace afeminado. Ahora Vitto sabe que todas esas veces que su papá le dijo "no chille, no sea marica", no era más que una verdadera estupidez digna de un neandertal alfa. Enhorabuena por nuestro maltratado ex-neandertal.

FIN.

Y PARA TERMINAR, POR SI NO LES QUEDÓ SUFICIENTEMENTE CLARO

» MANIFIESTO

1. Soy la dueña de mi cuerpo y de mis decisiones, nadie me puede decir qué debo hacer o qué debo pensar.

2. Los hombres no son mis enemigos, ni mis superiores; son mis colegas, compañeros y coequiperos en la vida. Tampoco deben ser machos ni los únicos proveedores. Entenderé que los hombres pueden llorar y nunca, pero nunca, esperaré que mi chico se de en la jeta con otro por mí.

3. Soy linda. El que tenga un problema con mi apariencia no merece mi atención. Puedo ponerme lo que quiera y puedo ser como quiera.

4. No voy a juzgar a nadie por su apariencia. No le "voy a hacer caer en cuenta a nadie que está gorda o gordo" y voy a comer bien y hacer ejercicio por salud y no por belleza física.

5. Debo saber escoger mis modelos a seguir. No todo lo que veo en la televisión o las revistas es saludable, inteligente, sensato o digno de mi atención.

6. La inteligencia, el humor y mi fuerza interior son mis mejores atributos.

7. No debo aceptar un sueldo menor al de mis colegas hombres por el hecho de ser mujer.

8. Pero el simple hecho de ser mujer no me debe valer garantías ni beneficios sobre los hombres.

9. Hay que ser coherente en la búsqueda de la igualdad.

10. Amor no es igual a drama.

AGRADECIMIENTOS

Aprovechando que pocas veces en la vida tenemos la posibilidad de repartir agradecimientos cual reinas de carnaval, acá van los que le debemos a tantas personas que han sido cruciales en nuestras vidas y en el proceso de escribir este libro:

A Paula Florez por su apoyo en la investigación y la consecución de información y datos que parecían imposibles de encontrar; a Luke Melchiorre y Paco Montes por su paciencia, apoyo y sus siempre atinados aportes; a Andrés Ossa y Andrea Loeber por creer en nosotras; a Federico Soto y Arturo Torres por sus grandes comentarios que sin duda enriquecieron estas páginas; a Antonio Sanint por hacer con nosotras el primer video prólogo del mundo mundial (mentira, ni idea, por lo menos el primero de Planeta); a nuestros papás (Pedro, María Elisa, Isaac, María Consuelo, Renata y Alfonso) por aceptar nuestra ausencia en los almuerzos familiares de los domingos porque "toca escribir"; a nuestros hermanos Isaac, María Jimena y Alejandro por lo mismo; a nuestras amigas que nos han llenado de material que nos ha permitido mantenernos a flote durante tantos años; y a todos nuestros usuarios, pues gracias a ustedes existimos.

El discurso salió más corto que el de Greer Garson en los Óscar de 1942.

Lo entendimos todo mal